Rakushisha

Adriana Lisboa

Rakushisha

© 2007 by Adriana Lisboa
Todos os direitos desta edição reservados à
Editora Objetiva Ltda.
Rua Cosme Velho, 103
Rio de Janeiro — RJ — Cep: 22241-090
Tel.: (21) 2199-7824 — Fax: (21) 2199-7825
www.objetiva.com.br

Capa
Marianne Lépine

Imagem de capa
Geisha of the House of Sumiyoshi before a mirror, by Kitagawa Utamaro.
Fotografia de Erich Lessing | Album | Album Art | Latinstock

Revisão
Rita Godoy
Lilia Zanetti
Raquel Correa

Editoração eletrônica
Abreu's System Ltda.

CIP-BRASIL. CATALOGAÇÃO-NA-FONTE
SINDICATO NACIONAL DOS EDITORES DE LIVROS, RJ

L749r
    Lisboa, Adriana
        Rakushisha / Adriana Lisboa. – Rio de Janeiro: Objetiva, 2014.

        196p.   ISBN 978-85-7962-274-8

        1. Ficção brasileira. I. Título.

13-05636   CDD: 869.93
                                          CDU: 821.134.3(81)-3

Este livro foi escrito com o auxílio
de uma bolsa de pesquisa da Fundação Japão.

para Gabriel

*Amar é um elo
entre o azul
e o amarelo*

PAULO LEMINSKI

17 de junho

Para andar, basta colocar um pé depois do outro. Um pé depois do outro. Não é complicado. Não é difícil. Dá para ter em mente pequenas metas: primeiro só a esquina. Aquele sinal com a faixa de pedestres e o homem esperando para atravessar com um guarda-chuva transparente e um cachorro de capa amarela.

O cachorro parece um labrador e olha para mim quando me aproximo.

Tem uma cara afável. Somos ocidentais nós dois, amigo. Se bem que você talvez tenha nascido aqui, não é? Nasceu? No canil de um criador? Claro, onde mais, você me responde, com a paciência dos labradores.

Eu não nasci aqui. Não sei se você está muito interessado em saber. Sou do outro lado do planeta. Pode-se dizer que vim escondida dentro da bagagem de outra pessoa. É como se eu tivesse entrado clandestina, apesar do visto no meu passaporte. De fininho, para que não me vissem, para que não vissem as coisas invisíveis que eu trazia na mala. Que ninguém me veja ainda, que ninguém suspeite. Nesse sentido sou bem mais ocidental do que você, amigo de capa amarela. Não pertenço a este lugar.

    E por que exatamente estou aqui, então, você poderia me perguntar se tivéssemos mais tempo para trocar olhares, se a sua coleira e o seu dono já não fossem te puxando para as suas obrigações — sejam elas quais forem, acompanhar, guiar, divertir.

    Não sei muito bem, para ser honesta. Estive reaprendendo a andar. Estou reaprendendo a andar. Depois da tempestade, da era glacial, da grande seca, a gente pode usar a imagem que quiser, ninguém vai se importar muito, afinal quem somos nós se não menos do que anônimos aqui. Abriu-se esta porta. Agora não dá tempo de te contar como aconteceu. E ainda não sei se andar equivale a lembrar, se equivale a esquecer, e qual das duas coisas é o meu remédio, se nenhuma delas, se nenhuma opção existe e se andar é o mal e o remédio, o veneno que tece a morte e a droga que traz a cura. Se vim para lembrar — se vim para esquecer. Se vim para morrer ou para me vacinar. Talvez eu descubra. Talvez nunca seja possível descobrir, desvelar, levantar o toldo, remover qualquer traço de ilusão da ilusão de caminhar.

    Seja como for. É só colocar um pé depois do outro.

Um pé depois do outro. Ignorar o peso das pernas. Afinal este corpo é uma máquina que não tem motivos para estar apresentando defeito, ainda não, este corpo viu pouco mais de três décadas, é possível que esteja programado para muito mais. Está? Não sei, não me interessa saber, mas é possível que sim. Supõe-se que os músculos se encontrem todos no lugar, e os ossos por baixo deles, e as sinapses transmitindo a intenção — a intenção não, a determinação, a ordem do cérebro. Esse déspota. Faça, ele diz. Mova-se. E as pernas se movem. Isso. Deve ser assim, bem simples. Mova-se como um cão labrador de capa amarela atravessando o sinal conduzido por seu dono.

Posso ir bem devagar, o meu devagar, porque estou sozinha. Posso escolher o ritmo da minha dificuldade de caminhar, o ritmo do peso das minhas pernas.

O guarda-chuva tapa um pedaço do céu e a chuva é fraca, mas insisti em sair de sandálias e meu pé está ficando molhado. Paciência. Não é o mais importante, nem de longe. Que eles estejam secos ou que estejam molhados. Sinto a umidade um pouco fria na pele. Importante é que eles continuem se alternando sobre a calçada, mesmo que lentamente.

Encontro o ritmo. O labrador e seu dono vão lá na frente. Estranho a sensação de que nunca mais vou vê-los, e, no entanto, é muito mais frequente topar com criaturas que nunca mais vou ver do que o contrário. Eu me pergunto se a vida por acaso se faz de reencontros. Talvez se faça muito mais de tangentes, de movimentos periféricos, de olhares fugidios que no instante seguinte já se dissiparam. Por que fincar os pés, então? Por que não somente viajar? Mas há uma gravidade de perda conforme homem e cachorro, o guarda-chuva transparente e a capa amarela, vão se afastando, de costas. Tirando os dois, estou sozinha na rua. Ainda mais por causa da chuva. Passam carros eventuais e passa o ônibus número vinte.

Essa é a verdade da viagem. Eu não sabia.

A viagem nos ensina algumas coisas. Que a vida é o caminho e não o ponto fixo no espaço. Que nós somos feito a passagem dos dias e dos meses e dos anos, como escreveu o poeta japonês Matsuo Bashō num diário de viagem, e aquilo que possuímos de fato, nosso único bem, é a capacidade de locomoção. É o talento para viajar.

Este lugar é pouco movimentado, de modo geral. Um bairro relativamente novo em Kyoto, me disseram. Fica na encosta da montanha, na margem de uma floresta que talvez em algumas décadas terá desaparecido, dando lugar a mais casas como estas que vejo, casas de gente endinheirada, ao que me parece. Devem ser. Mais adiante há verdadeiras mansões, a maioria em estilo arquitetônico bem atual, mas uma delas lembra muito um secular templo zen. Pergunto-me se já estava aqui há tempos, se é genuinamente antiga, ou apenas propriedade de algum excêntrico passadista.

Ou se existe isso de ser passadista no Japão.

Como é que as coisas convivem aqui eu ainda não sei, eu talvez nem venha a saber, já vi moças de quimono comprando produtos Hello Kitty, não acredito que eu tenha a balança para isso, a régua graduada da maneira correta. Não sei se tenho a capacidade necessária de assombro.

Decorei o nome do meu ponto de ônibus, porque tudo para mim é, e vai continuar sendo, tão labiríntico: chama-se Katsurazaka gakko cho mae. Tomo o ônibus de número vinte em frente ao jardim público sempre limpo. Vou até a estação Katsura e dali os caminhos podem variar, dependendo do dia, dependendo do que quero ou preciso fazer. Normalmente vou até Karasuma de trem. Dali posso ir a pé a vários lugares, ou fazer baldeação para o metrô em Karasuma-Oike.

A volta também é sempre a mesma, de Katsura até Katsurazaka gakko cho mae no ônibus número seis. Às vezes corto caminho descendo em frente ao supermercado e compro alguma coisa. Tento decifrar os rótulos. Comprar detergente me custou muito tempo, e uma coleção de gestos para tentar me explicar à funcionária. Parecia que eu estava brincando de mímica.

Eu me aqueço prevendo o paladar do chá verde, do saquê e dos doces de feijão. Gosto de comprar um doce diferente a cada vez e correr o risco, mas sou quase sempre bem-sucedida. Às vezes escolho pela cor, às vezes pelo formato. Gosto de passar diante da prateleira dos chocolates suíços ou da seção de doces franceses finos e perceber que a pequena esfera leitosa e delicada do doce japonês que escolhi hoje é, no momento, muito mais tentadora.

Parte da viagem: os doces de feijão. Parte do caminho.

Já me cerquei de familiaridades em três semanas, mas já não vou mais ficar muito tempo aqui, em breve vou embora, desfazendo para nunca mais essa rede de afetos só meus, afinidades não compartilhadas, como se eu fosse uma bolha dentro de Kyoto e Kyoto tivesse pequenos troféus secretos, guardados só para mim desde que foi fundada, há mais de um milênio.

Quando conheci Haruki, ele me falou de um poema que dizia: mesmo em Kyoto sinto saudades de Kyoto.

Há casas novas sendo construídas na vizinhança. Durante a semana ouço o barulho das obras ao longe, do meu quarto. Mas hoje por aqui é um silêncio de sábado, doyoubi, o dia da terra, como me ensinaram — embora, como também me fizeram notar, ruídos e barulhos de toda sorte povoem certas áreas de Kyoto: apitos e campainhas quando se vai atravessar o sinal no centro da cidade, vozes gravadas repetindo incessantemente nos ônibus, trens e metrô a estação em que se está parando (em japonês e inglês quando se trata de áreas turísticas), vendedores em estabelecimentos comerciais bradando o tradicional irasshaimase, seja bem-vindo!, música ambiente até mesmo na rua, e o barulho inacreditável das casas onde se joga pachinko, essa espécie de pinball japonês que não é bem um pinball, que tem também um quê de máquina caça-níqueis.

Um pé depois do outro. O labrador e seu dono dobram a esquina e desaparecem para sempre. Não sei o nome destas plantas, exceto o das azaleias indecentemente floridas, é junho, é primavera quase verão, e talvez o dia de hoje marque o início das chuvas que se intensificam a partir desta época.

Mesmo em Kyoto sinto saudades de Kyoto.

Mas é preciso ter pequenas metas. Um pé depois do outro. Até que o peso das pernas se anule e caminhar seja quase fácil, quase corriqueiro.

Haruki

Por pouco não impediram Haruki de subir ao décimo andar, onde ficava o Consulado Geral do Japão no Rio de Janeiro. Vai rápido, disse a moça na recepção. Eles encerram o expediente na hora e não gostam de que suba mais ninguém quando está perto do horário de fechar.

Ele apresentou a identidade, pegou o cartão para passar na catraca e entrou esbaforido no elevador, suas roupas estavam desalinhadas e seu cabelo, uma bagunça, e seu rosto brilhante de suor.

O funcionário que o atendeu usava um terno azul-marinho absolutamente impecável. Cumprimentou Haruki em japonês e Haruki se viu obrigado a dizer que não entendia a língua. Explicou a situação, a categoria do visto que solicitava, entregou os papéis devidos. O funcionário de terno lhe disse em voz baixa, pausada, por favor preencha este formulário, mas seja rápido porque já estamos encerrando o expediente.

Haruki se sentia um corpo estranho. Ele não devia estar suando. Ou que estivesse suando, mas que pelo menos falasse um japonês rudimentar. Os traços do seu rosto, seu nome, tudo lhe impunha essa responsabilidade — que, no entanto, ele nunca havia acatado.

Tinha informações básicas. Havia crescido ouvindo algum japonês dentro de casa. Sobretudo quando seus avós o visitavam. Mas isso décadas atrás, e durante essas décadas que passaram ele teve mais o que fazer. E talento nenhum para línguas. Até a regência dos verbos do português inspirava cuidados. Já bastavam as aulas na escola sobre orações subordinadas substantivas subjetivas e o *haja vista* que não é flexionado exceto por concordância atrativa antes de substantivo no plural sem preposição.

O mundo não se compunha de letras, mas de formas e cores. O mundo, noutras palavras, era aquarelável.

Ao seu lado, numa estante de madeira cheia de filipetas em japonês, observava-o uma perfeita bola colorida de origami. Era uma bola maior do que um punho fechado, feita de vários pedaços de papel. Haruki sentia-se integralmente desajeitado, como se fosse o antônimo daquela bola colorida de origami. Tão atrasado, tão deselegante e antinipônico, que direito ele tinha de sair por aí usando um par de olhos puxados?

Chovia fino quando deixou o consulado, com a promessa do visto para dali a dois dias. Categoria: G. Atividades culturais. Abriu o guarda-chuva que por milagre tinha se lembrado de colocar na mochila. O trânsito já dava sinais de fim de tarde, movimento engrossando pela pista que vinha do Centro.

O Aterro do Flamengo estava esbranquiçado e opaco, coberto por uma película de chuva. Na mesma calçada, gente sem guarda-chuva se apressava: ombros encolhidos em gesto involuntário de proteção, testas franzidas, passos curtos e rápidos. Alguns tapavam a cabeça com pastas. Com um jornal dobrado em quatro. Corpos cortados pelo vento frio que agora vinha da praia.

Haruki caminhou até a esquina da Machado de Assis e seguiu por ela, na direção do metrô. Que também já daria sinais de fim de tarde. Nada com que ele não estivesse acostumado. Haruki era alguém dos meios públicos de transporte. Fazia tempos que não tinha carro. Os carros, além de custarem dinheiro, custavam seguro, custavam garagem, custavam pneus furados, custavam um dia o vidro espatifado pelo cara que levou o som, custavam vagas e custavam procura de vagas, custavam lanternas quebradas numa porradinha sem importância, custavam para-choques arranhados e laterais arranhadas por alguém que passou com um prego ou uma chave e custavam medo dos sequestros-relâmpago sobretudo naquela época fatídica entre o Natal e o Carnaval, e a polícia gentilmente já avisava que a gente tinha mesmo que tomar cuidado e que não precisava ser rico para sofrer sequestro-relâmpago. Uma vez ele teve um fusquinha de um vermelho assim mais para vinho, ano de fabricação 1972. Era um carro simpático. Pegou fogo.

O suor tinha secado no seu rosto. Bom sentir o frio soprando para dentro da camisa, e no meio do cabelo. Subitamente era bom estar ali, no Rio de Janeiro, naquele momento, e ser quem ele era, o desenhista com a mochila nas costas, por um instante era bom haver chuva e saber que em dez minutos ele chegaria à estação Largo do Machado.

Era bom saber que havia coisas como inversão das estações nos dois hemisférios, fusos horários, um lugar em que o sol nascia enquanto em outro se punha. Coisas da ordem da quase ficção. Era bom saber que existia um Japão de fato, um lugar onde pessoas abriam guarda-chuvas ou lamentavam a falta dos guarda-chuvas e pisavam num outro chão de fato.

Você ia ficar feliz, velho, ele pensou, esquecendo-se de que não chamava o pai, em vida, de você. Nem de velho, aliás. Talvez a morte permitisse um outro tipo de intimidade, algo da sem-cerimônia que ele havia (havia?) tentado conquistar em vão durante quarenta anos. Facilitava improvisações. De repente o pai era um amigo, e de repente Haruki acabava de sair do consulado do Japão com a promessa de um visto para atividades culturais.

Aquele mesmo Japão ignorado por quarenta anos e que agora, subitamente, como um susto, abria-se a essas mesmas improvisações. Tornava-se possível, como chamar o pai afetuosamente de você. De velho. Palavras tapa-nas-costas.

O Japão saltando como um soluço para dentro de sua vida, tudo por causa dela. Yukiko. A tradutora. Hoje, só isso: a tradutora. Os nomes dos dois iam se casar na ironia da capa de um livro. Iam colocar seus nomes no papel. Amorosamente, friamente, levianamente.

A chuva fina deixava o mundo luminoso diante dos olhos de Haruki. O asfalto puído da Machado de Assis brilhava. Os carros estacionados brilhavam. Folhas de árvores. Grades à entrada dos edifícios. Até o som das coisas brilhava na chuva, as rodas dos carros sobre o asfalto, uma freada brusca e a buzina, o rádio do porteiro.

Era preciso reconhecer e reverenciar esses momentos. Eles eram rápidos e raros. Momentos em que sem nenhum motivo aparente tudo parecia entrar nos eixos, ajustar-se, encaixar-se. Acabavam-se as perguntas e a necessidade delas. Acabava-se a pressa, o ter aonde ir, o vir de algum lugar. Simplesmente as solas dos sapatos batiam na calçada úmida e pronto, o mundo prescindia de outros significados.

Um pé depois do outro.

Momentos rápidos e raros. Aquele ali se desfez de repente, no cruzamento com a rua do Catete. Haruki notou que perdia alguma coisa, chegou a olhar para trás automaticamente, para ver se dava com um pedaço de si caído na calçada. Mas era o instante que se desmanchava, colher de sal dentro d'água. E Haruki sacudia a colherinha, desmanchava o instante, porque não tinha como ser diferente, se a gente não mata as epifanias elas nos matam, e atravessava a rua na direção familiar da entrada do metrô.

No rápido trajeto até a estação Botafogo ele fez o que sempre fazia. Tirou da mochila um livro — frequentemente era alguma coisa a ver com o que quer que estivesse ilustrando ou se preparando para ilustrar no momento.

Naquela tarde, em pé, meio apertado no meio dos outros passageiros, tirou o livro que havia dado início a tudo.

Certo, havia um prazer nisso: tirar da mochila um livro em japonês e folheá-lo interessado, como se estivesse entendendo alguma coisa. Como se os motivos que o fizeram apanhá-lo, naquela mesma tarde, na biblioteca não fossem apenas estéticos, apenas ver aquele monte de sinais gráficos indecifráveis juntos e tentar saber em que podiam colaborar nas ilustrações.

Virar as páginas para um lado, para o outro, e de soslaio acompanhar a reação dos mais próximos, os olhares indisfarçados.

No vagão do metrô, imensas unhas escarlate aqui. Uma aliança de ouro. Unhas curtas e roídas ali. Conversas. Rostos de depois do trabalho. Passou um cheiro de suor. Passou também um perfume doce. Houve uma rápida parada na estação Flamengo. Até Haruki descer na estação Botafogo e ouvir uma voz ao seu lado, uma voz de mulher, como que lhe puxando a manga da camisa, a voz tão diferente das vozes ambientes que o circundavam e amorteciam ali na plataforma do metrô: desculpa, mas é que eu fiquei tão curiosa. Isso aí que você lia é japonês ou chinês?

Meia hora mais tarde, os dois tomavam um café e sustentavam o olhar de curiosidade e indecisão por cima da mesa.

    A mulher já tinha nome. Celina. E, coerente com esse nome, parecia mesmo alguma coisa volátil a Haruki. Talvez por dentro ela não tivesse ossos nem músculos nem vísceras, mas ar. Um pedaço de céu recoberto pela fina epiderme humana. Um pedaço de céu quase humano. Por fora, ela era o sorriso mais triste que ele tinha visto nos últimos tempos.

    Durante meia hora Haruki falou quase o tempo todo sozinho, fazendo um resumo irregular de sua vida nada nipônica que agora se travestia com um livro em japonês.

Primeiro, ainda no metrô, ele explicou a Celina: é japonês, mas eu não estava lendo o livro, estava folheando. Não falo japonês. Está vendo estes símbolos? Podia ser grego. Podia ser russo. Não conheço nenhum. Não tenho a menor ideia do que querem dizer.

Você parecia estar lendo, ela disse.

Ele deu de ombros.

Vou ter que fazer um trabalho com este livro. Estava só olhando.

Silêncio do outro lado durante alguns instantes. Mas depois a curiosidade insistente: você vai ter que fazer um trabalho com um livro que não consegue ler?

Os dois subiam a escada rolante do metrô. Haruki viu que ela não ia se contentar com evasivas. Parecia querer saber o que um homem com cara de japonês estava fazendo de nariz grudado num livro em japonês se não entendia coisa nenhuma de japonês. Era um mistério bem importante, colocado desse jeito — sobretudo pela sua aparente trivialidade.

E então a masculinidade o obrigava a chamar para um café (depois quem sabe para sua casa e para sua cama) uma mulher que o abordava à saída do metrô? Pensou por um instante no assunto. Quase pragmaticamente.

Ele queria falar do livro. Ainda não tinha conversado a sério sobre aquele trabalho com ninguém.

Era um trabalho que dava medo, também, por vários motivos. Projetava sombras. Fazia ruídos escuros. Roçava em sua pele com patas compridas, com babas de bicho, com chifres de diabo, com indícios de outro mundo.

Talvez aquela Celina feita de céu e de um sorriso triste tivesse aparecido só para isso: para ouvir.

Um projeto de ilustração. Uma viagem. Um visto no passaporte — passaporte que ele teve que tirar, aliás, numa tarde de romaria à Polícia Federal, antes de levar ao Consulado do Japão.

Eu ilustro livros, ele disse. Normalmente livros infantis. Desta vez me chamaram para fazer uma coisa diferente.

Parou, no meio do fluxo humano, nos corredores do metrô, e mostrou o livro para Celina. Um desavisado.

Este é um diário de Bashō. Um poeta japonês. Século dezessete, ele disse. Continuou a andar. É a primeira vez que traduzem este diário aqui no Brasil, me chamaram para ilustrar a tradução. Já me mandaram, já li, mas quis pegar o original na biblioteca. Só para saber como fica o texto, visualmente.

Celina andava olhando para baixo.

Eu acho que faria a mesma coisa, ela disse. Mesmo que não entendesse uma palavra, como você. Só para ver, só para ter nas mãos o texto original.

Ele se virou para ela enquanto passavam nas roletas, à saída.

Você quer tomar um café?

* * *

E agora fazia meia hora que os dois se conheciam, meia hora e alguns minutos, sobre a mesa e sobre as duas xícaras vazias de café.

Já tinham um histórico de paisagens: metrô, calçada e rua já sem chuva, livraria onde entraram para tomar café. A essa altura sabiam um do outro, entre outras coisas: que Celina tomava café sem açúcar, que Haruki colocava duas colheres rasas.

Quase intimidade no âmago da curiosidade e da indecisão.

Celina

Nada de amanhã é um outro dia. E nada de o tempo passa, não havia mais um de agora em diante, não existia nenhum tipo de projeção para além do instante exato daquela batida do coração. O futuro não existia mais. O passado sim, embora fosse esfumaçado e móvel. Mas o futuro não.

Foi preciso começar a reaprender a andar. Um dia Celina se deu conta de que o que mais lhe importava em seu corpo eram os pés. Onde seus pés estivessem no momento estaria sua alma, ou como quer que se chamasse, ela pensava, aquela parte do corpo que sempre ameaçava exceder o próprio corpo.

Sua alma pisava o chão e morava no espaço de dois complexos anatômicos, um par de tornozelos, calcanhares, tarsos, metatarsos e uma dezena de dedos. Acotovelava-se com duas vezes 26 ossos.

Quando deu por si, no intervalo de ano, ou coisa que o valha, seus pés, e sua alma a bordo deles, a haviam instalado naquela situação, que ela sabia inteiramente presente, e apenas isso: morava num apartamento de quarto e sala que ficava no último andar de um prédio pequenino, no bairro do Grajaú. Tinha uma mesa grande de trabalho e uma máquina de costura.

Fazia bolsas de pano para vender. Eram bonitas. Vendia, e vivia disso.

Bordava as bolsas e enquanto bordava contava os pontos, deixava-se hipnotizar pelos números. Atestava seu presente presente, 36 anos de um coração batendo de sessenta a cem vezes por minuto, isso totalizava mais de um bilhão de batidas e era uma sorte que o músculo trabalhasse com números dessa grandeza.

Pensava a distância em sua avó bordadeira. Era fácil pensar nela, a avó nascida em Nazaré da Mata, que havia criado 23 filhos. Desses, só cinco tinham saído da sua própria barriga. Os outros eram filhos das outras seis mulheres de seu marido. E pensava na mãe, modelista e bordadeira no Recife, estilista das damas da sociedade.

Celina fez uma bolsa em homenagem a cada um dos seus tios e tias.

Bordou uma bolsa em homenagem à magia da umbanda que, diziam, fez sua mãe finalmente engravidar.

Conseguiu também trazer de volta, com agulha e linha, a casa onde nasceu e que foi levada pela grande cheia daquele mês de junho do seu nascimento.

Pensava em sua avó, em sua mãe e na cheia quando viu na capa de um livro que um sujeito lia no vagão do metrô figuras semelhantes a bordados. Letras. Seriam japonesas ou chinesas?

Um homem de traços orientais lia o livro, em pé, no metrô. Celina baixou os olhos para os próprios pés. Lá fora chovia fininho, e ela não tinha trazido guarda-chuva. Chegou ao metrô escondendo-se debaixo das marquises, deixando-se molhar um pouco. Depois voltou a olhar para o homem que lia tão interessado. Veio a curiosidade quase irresistível de saber o que era, de quem era, do que tratava. Que tipo de cheia, de genealogia, que orixá retratavam aqueles bordados em branco e preto no papel.

Se eu conseguir perguntar a ele, pensou Celina — ou melhor, acertou Celina consigo mesma, se eu conseguir chegar perto dele e fazer essa pergunta a chuva acaba imediatamente.

Esperou passar a estação Flamengo. Observou para ver se ele ia descer, não desceu. Já não havia mais muito tempo até a estação final, mas o vagão estava tão cheio, primeiro ela teria de se aproximar mais dele, e como fazê-lo, e como fazer a pergunta — pedir licença, pigarrear?

Na estação Botafogo, que coincidentemente era também onde ela devia descer (o que fazer se ele continuasse? Continuar também? E como ficaria a mágica da chuva? Se ela não conseguisse chegar perto dele e fazer a pergunta — será que então choveria para sempre?), o homem de traços orientais fechou o livro e se virou para a porta do vagão do metrô. Desequilibrou-se um pouquinho quando o trem freou. Recuperou o equilíbrio jogando instintivamente o corpo para o outro lado.

 Celina se endireitou e avançou um pouco. Ao saírem, ainda na plataforma, ela juntou os passos aos dele: desculpa, mas é que eu fiquei tão curiosa. Isso aí que você lia é japonês ou chinês?

18 de junho (de manhã)

Estávamos os dois vestidos de palhaço, Marco e eu, no sonho. A mesma roupa, verde e branca. Levávamos uma sombrinha verde cada um. A roupa, a maquiagem, as sombrinhas, tudo nos igualava e irmanava e talvez por causa disso nos anulava. Era quase como se fôssemos a mesma pessoa. Houve épocas, ou momentos, pelo menos, em que fomos de fato a mesma pessoa. Para o bem ou para o mal. Houve épocas em que seria quase impossível dizer o que era de um, o que era do outro. Parei de estalar os dedos das mãos porque Marco detestava isso. Ele começou a pronunciar corretamente a palavra embreagem porque eu sempre implicava com ele. E de repente a mágica: não dava mais para estalar os dedos, mesmo que Marco não estivesse por perto.

No sonho, porém, não éramos mágicos, mas sim palhaços, e fomos vítimas de um assalto decididamente ridículo. Digno de um casal de palhaços. O assaltante era um velhinho japonês a pé. Eu e Marco estávamos de bicicleta, uma única bicicleta, ele na garupa e eu custando a pedalar por causa do peso. Pedalava, pedalava, esforçava-me para avançar e escapar do velhinho assaltante, mas o velhinho corria bem ao lado e tentava com a mão alcançar o que eu pudesse levar no meu bolso de palhaça verde e branca.

A essa altura as sombrinhas já tinham desaparecido e a paisagem, antes urbana, começava a dar lugar a uma estrada de terra ladeada por campos ensolarados, muito bonitos. Talvez campos de arroz como os que eu vi recentemente. Uma ou outra pessoa a pé, seguindo pela estrada.

O assaltante japonês finalmente ficou para trás. Ele era um outro capítulo do sonho. Agora eu guiava a bicicleta com segurança, e começava a ganhar velocidade.

Mas Marco adormeceu. Caiu da bicicleta, e nem mesmo a queda o despertou. Ele ficou deitado na estrada. Quando me dei conta de que ele havia caído e olhei para trás, Marco ainda dormia, um corpo embolado, um corpo como que empilhado em si mesmo, uma forma imóvel sobre o chão de terra. Totalmente alheio, de repente Marco não era mais o gêmeo palhaço verde e branco, mas o lugar mais distante do mundo. Marco era o inalcançável, para sempre apartado, estranho, estrangeiro.

    Acordo com o dia ainda escuro, o rastro do sonho é quase uma sensação física. A luz do sol daqui a pouco vai invadir o quarto, estamos em junho, quase verão no hemisfério norte, e o dia nasce bem cedo. As persianas que cobrem as duas janelas e a porta da varanda mal suavizam a claridade. Isso me incomoda um pouco. A luz e o sono, o sono e a luz. Eles brigam.

    Nunca pensei em ter um diário. Nem quando era menina, nem quando adolescente.

    Talvez esteja fazendo isso agora só porque não resisti ao papel fabricado no Japão. Há uma loja bem perto do Museu Nacional de Kyoto. Há inúmeras lojas especializadas em papel, sim, mas essa em particular me atraiu. Ontem fiz uma visita um tanto frustrante ao museu, algumas das salas estavam fechadas. Quando saí, topei com essa loja.

    Não sei quanto tempo passei lá dentro, na minha bolha ocidental de quase incomunicabilidade, mas a sensação foi de ter me demorado mais ali do que nas salas do museu.

    Cada prateleira era um universo particular de delicadezas, de cores, de texturas. Havia grandes rolos de papel artesanal vendido a metro. Havia pequeninas embalagens com cartões. Havia coisas que eu não sabia para que serviam mas que me fascinavam assim mesmo.

Comprei o caderno. O caderno se tornou um diário. Só depois disso me lembrei do poeta Matsuo Bashō e de seu *Saga Nikki,* o *Diário de Saga.* O diário que Bashō escreveu perto daqui, quando esteve de visita pela segunda vez ao seu discípulo Mukai Kyorai.

Diz a lenda que Kyorai tinha cerca de quarenta pés de caqui crescendo no jardim de sua cabana em Saga, subúrbio de Kyoto. Tinha acertado a venda dos frutos, certo outono em que as árvores estavam carregadas, mas na véspera do dia em que deveria entregá-los uma forte tempestade caiu, à noite. Não sobrou um único caqui. Desse dia em diante Kyorai passou a chamar sua casa de Rakushisha, a Cabana dos Caquis Caídos.

Haruki e Celina

Um dos filmes era *O poderoso chefão*. Haruki começou a assistir, era a quarta ou quinta vez que assistia àquele filme. Mas voltou a se impressionar quando o produtor de cinema acordou com a cabeça decepada do cavalo em sua cama, aquele recado eloquente de Don Vito Corleone.

Os fones de ouvido não disfarçavam o ruído do motor do avião, os assentos eram bem junto à asa. Sobre a mesinha ainda havia um copo de suco de laranja pela metade. Com dois goles Haruki terminou o suco processado, ruim, menos ruim com duas ou três pedras de gelo.

Tirou os olhos do filme, as vozes continuaram soando através dos fones de ouvido, sobrepondo-se ao barulho do motor. Sabia que lá fora eram as luzes da asa e a noite de um negrume compacto e a temperatura inumana e a falta de oxigênio. Bastaria um estalo para morrer.

Fechou os olhos. Tirou os fones do ouvido.

Ao seu lado, Celina dormia. Ele estava tendo a oportunidade de descobrir que Celina tinha um jeito leve de dormir. Era a primeira vez que a via assim. Ela parecia deixar de existir, parecia migrar para alguma outra dimensão, e o que ficava era só um fantasma, um holograma guardando seu lugar. Para quando precisasse recuperá-lo. Talvez ela nem respirasse, ao dormir.

Sobrevoavam o Atlântico, dez dias depois de terem se conhecido no metrô e sentado para tomar um café.

Haruki falou e falou e falou, durante aquele café, do seu novo trabalho, as ilustrações de um diário do poeta Bashō, escrito mais de trezentos anos antes.

E agora eu vou ao Japão, ele disse naquela tarde. Uma viagem de pesquisa, no final de maio, consegui essa bolsa, eles me pagam a passagem também.

Celina olhou para o relógio. Mais cinco minutos e perderia a consulta no médico. Disse isso a Haruki.

É aqui perto, seu médico?

Fica a um quarteirão.

Então você consegue chegar a tempo.

É, consigo sim.

Um instante de silêncio, Celina consultou de novo o relógio.

E você, ela perguntou.

Moro pertinho daqui.

Hm. Eu no Grajaú.

Outro instante de silêncio, e tudo se decompondo em alternativas.

Sabe o quê? A gente podia combinar de comer alguma coisa quando você saísse do médico, Haruki disse.

É, seria ótimo.

E assim as coisas continuaram acontecendo entre os dois, em quase sustos, um grande por acaso com cacoetes de gestos definitivos. Com o Nunca Mais se oferecendo o tempo todo, bastaria dizer foi um prazer ter te conhecido, bastaria não trocar telefones nem e-mails e enterrar a casualidade com a cal da sabedoria — nada poderia ser definitivo, os encontros duravam duas horas ou duas décadas ou duas vezes isso, mas em algum momento necessariamente seria o fim. De todos os grandes amores. De todos os pequenos. De todas as juras, das promessas, de todos os na-alegria-e--na-tristeza. De todos os não amores, os desamores, os casamentos para sempre, os rancores para sempre, de todas as paralelas que só se viabilizam na abstração da geometria, de todas as pequenas paixões e de todas as grandes paixões, de tudo que para na antessala da paixão, de todos os vínculos não experimentados, de todos.

Jantaram e beberam durante o jantar. Dividiram a conta. À saída Haruki foi com ela procurar um táxi, os dois meio cambaleantes.

Nenhum deles falou em continuar juntos ao longo daquela noite: nem ali perto, onde

Haruki morava e ilustrava livros, nem no Grajaú, onde Celina fazia bolsas de pano.

Não precisava durar. Não precisava prometer nada. Podia ser apenas uma noite, sexo um tanto embriagado, e pronto. Se de um modo ou de outro, em algum momento, estava fadado a terminar. Mas ninguém falou no assunto.

Ao contrário, ele segurou a porta do táxi para Celina entrar e cumpriu o último susto da noite, que ainda não seria o último susto entre os dois.

Escuta, ele disse.

Ela olhou para Haruki de dentro do táxi, aquela mulher feita de ar, de céu, de um sorriso triste. Os olhos dela estavam iluminados, sob efeito do álcool.

Você podia ir para o Japão comigo.

Sexo. Já fazia algum tempo. Durante seis anos, sexo tinha virado uma casualidade. Podia acontecer um ou outro encontro fortuito. Gratuito. Se os pés de Celina apontassem nessa direção.

Encontros entalados na moldura estreita da impossibilidade. E o prazer, também esse prazer, era duro, naco de pedra. Árido. Rascante. Triste.

Celina não queria ninguém em sua vida. Não se tratava de uma decisão formulada em longos pensamentos e posta em prática. Era mais como uma constatação. Olhar pela janela e ver o tempo: aberto, fechado, talvez prometendo chuva.

Os bordados nas bolsas que fazia eram sempre mais ou menos irregulares. Como as próprias bolsas, que também nunca se repetiam. Era de propósito que Celina comprava sempre pouca quantidade de um mesmo tecido. As bolsas se faziam quando se faziam. Instantaneamente: no instante. Não havia planos para elas ou para coisa alguma, não podia haver, Celina não cairia nesse conto do vigário.

Era um pouco assim com o sexo. Com a diferença de que a costura era parte integrante de sua vida diária, e o sexo era esporádico.

Já fazia algum tempo, quando conheceu Haruki. A primeira coisa em que ela pensou quando ele fez o convite, à porta do táxi, em pé na calçada da São Clemente, foi sexo.

E por isso quis responder que não. Não ao compromisso do sexo, de compartilhar a mesma cama, de acatar afagos, não à ideia repentina de ir ao Japão possivel(provavel)mente como amante oficial de Haruki e de ter que dividir seu corpo todos os dias com ele.

Celina sabia o que isso podia significar. Precisava estar alerta aos próprios movimentos, ao chão sob seus pés. Não podia se dar ao luxo da desatenção do sexo. Precisava estar alerta.

Uma coisa leva à outra e corre-se um imenso perigo, como ela sabia. Como ela havia aprendido seis anos antes: não, não uma simples decepção amorosa, um esfolar de joelhos dentro do coração, as coisas cicatrizam, formam casca, às vezes você arranca a casca e o machucado sangra de novo, mas a pele nova acaba tapando a mágoa antiga. Não, não uma simples queda do cavalo, um tombo, uma frustração.

Era maior, mais grave, mais escura do que isso a advertência que ela havia recebido uma vez.

Você podia ir para o Japão comigo, Haruki disse.

Quem sabe, ela respondeu.

Haruki não fechou a porta do táxi. Ficou parado, na calçada da São Clemente, e de repente pareceu muito bonito a Celina — naquele instante em que ele virou a cabeça ligeiramente para o lado, os olhos como que tateando em busca de alguma coisa que já estava ali. Escandalosamente visível, como todas as coisas realmente importantes.

Depois de alguns instantes ele sorriu, e a porta do táxi se fechou, e olhando para trás Celina viu que ele dava as costas à rua e começava a caminhar de volta para sua casa.

Livros deviam aguardá-lo. Cores, tintas, papéis. Projetos. Prazos.

Quem sabe, ela respondeu.

18 de junho (tarde)

A palavra-chave: confiança. Na primeira vez em que tomei o ônibus era o de número vinte. Eu devia saltar em frente à estação Katsura, onde seguiria de trem até a estação Karasuma, no centro da cidade, quase às margens do rio Kamo. Pedi informações: como pagar pelo ônibus? Diretamente ao motorista de luvas brancas? Havia um cobrador? Não — disse o australiano que conheci no ponto. Basta puxar o bilhete da máquina ao entrar no ônibus à porta traseira. Ao sair, pela dianteira, você deposita numa urna de acrílico o bilhete e a quantia certa relativa ao trecho que percorreu. No caso, 230 ienes. E quem confere, perguntei ao australiano. Não sei, acho que ninguém confere, ele respondeu.

Mesmo meio tonta por causa da bebida, Celina chegou em casa, no seu apartamento no Grajaú, e foi procurar um pano que guardava fazia tempos. Era uma estampa de flores em tons de vermelho, que de repente lhe vinha à memória como alguma coisa evocativa do Japão.

 Remexeu entre seus livros. Encontrou fotografia e descrição da roupa tradicional japonesa. Deteve-se na feminina.

 O quimono estampado era amarrado pelo obi, a larga faixa entre a cintura e os seios, em estampa diferente. Era o que Celina queria. Duas estampas. Procurou um outro tecido, de fundo branco, que sabia ter também, em algum lugar do armário. Estava ali.

Uma bolsa para o Japão. Para o convite feito por Haruki há menos de uma hora. O convite ao qual ela havia respondido: quem sabe. E quem saberia, de fato.

A bolsa seria colocada à venda, como todas as outras. Mas ali, naquele momento, o tecido corria entre os dedos e sob o fio da tesoura de Celina. Ela escolhia o molde. Media. Riscava o pano. Cortava. E enquanto cortava sentia arder os olhos, e tudo isso era bom.

Ela cortava o pano sem lágrimas nos olhos, refazia o corte necessário de um dia, certo dia, e costurava, e ao costurar recosia os ossos dos pés bem juntos uns dos outros e pregava com botões a alma tão arredia para mantê-la bem rente às solas e, ao bordar, contava os pontos, um, dois, dez, trinta, os bordados disfarçavam seus pensamentos.

Tudo isso era bom.

Até cansar. A noite quieta e cansada.

Trabalhar era bom. Trabalhar ajustava as coisas em suas engrenagens.

Celina deixou a costura em cima da mesa. Apoiou os cotovelos sobre a madeira gasta. Fitou os próprios braços. Passou a mão esquerda no braço direito, desde o punho até o ombro. Encontrou a camiseta. Encontrou o seio direito.

Quieta e cansada, lembrou-se de Marco. Em frente à colônia dos pescadores, na Lagoa, onde eles haviam combinado de se encontrar, tanto tempo antes. Marco chegou atrasado, suado e sorridente, com uma garrafa de água mineral na mão. Celina estava deitada num banco. Quantos anos atrás. O calor já esmiuçado de abril. Quantos anos atrás — 13 anos? Antes do Grajaú, das bolsas de pano. Bem antes, muito antes de Haruki e de um convite para ir ao Japão que por algum motivo ela tendia a levar a sério.

 Celina tinha 23, à época. Estava se formando. Cheia de livros e ideias. Marco, atrasado, suado e sorridente, abraçou-a com tanta facilidade, a ela e ao vestido que ela usava e que durante muitos anos relutou em jogar fora, mesmo velho como ia ficando. Dali foram se esconder entre quatro paredes.

 Sexo era outra coisa. Celina podia correr todos os riscos. Podia fechar os olhos. Podia titubear e não saber onde estava, se no chão, se nas nuvens. Podia sentir, como quem fura a onda gelada do mar, as mãos de Marco no seu corpo, pela primeira vez. Em seu peito. Em seus quadris e mais abaixo e na curva das coxas. Sexo era isso. Comportava qualquer densidade, qualquer pressão de partículas subatômicas, qualquer intercâmbio de universos paralelos. Não envolvia riscos.

 Naquela tarde, ainda não tinham almoçado. Dividiram um macarrão no motel, rindo, sentados à mesa, e eram promissores como atores de novela jovens e bonitinhos.

 Enquanto ele tomava banho, ela ficou deitada na cama cantarolando *Peter Gast*: Sei voar e tenho as fibras tensas.

Depois ele disse: você estava cantando para mim.

E ela: não estava não.

E ele: estava sim, olha só, você deitada de bruços na cama com o rosto virado para a porta do banheiro.

E lá fora o mundo inteiro eram ondas geladas do mar.

19 de junho

Na primeira tarde em que choveu depois que cheguei, as bicicletas me deixaram preocupada. Tantas pessoas de bicicleta. E fiquei preocupada com as mulheres de saltos altos e não raro pedalando bicicletas. Mas tudo se ajustou numa confluência harmônica que só excluía a mim. Só eu não entendi o que aconteceu ontem em Kyoto com a chuva, enquanto esperava para atravessar a Shijo, numa das horas de maior movimento.

Carros, pessoas e bicicletas, guarda-chuvas e saltos altos se entendiam. Estranha, apenas eu. Na raiz da incompreensão. Mordendo meus lábios e o chiclete entre os dentes. Nenhuma das mulheres levou um tombo, as mãos conduziam bicicletas e guarda-chuvas como maestros talentosos, os carros paravam nas faixas de pedestres e o silêncio acolchoado da água caindo no pior horário do dia, quando aparentemente todos saíam do trabalho, me assustava como um sonho indevido.

Aquelas pessoas tinham na bicicleta a destreza de Alice. Não cheguei a falar a Haruki de Alice, nos dias em que estivemos juntos aqui em Kyoto, antes de ele partir a trezentos quilômetros por hora para Tóquio.

Há um Museu Bashō em Tóquio. Onde Bashō morou, às margens do rio Sumida, pelo que me disse Haruki.

Foi uma bananeira que deu o nome ao poeta, o nome com que ele chegou até hoje, até Haruki, e através de Haruki até mim.

Bashō, a planta, a bananeira, é de uma espécie que não dá frutos. Uma bananeira sem bananas. Normalmente era plantada nos jardins dos templos. Oscilava à brisa e se rasgava ao vento forte do outono, inclinava as longas folhas sob a chuva pesada, como as orelhas de um cachorro triste, e brilhava ao sol, quando havia sol, encerada, verde com uma determinação sólida.

Para o poeta-bananeira, a bananeira sem bananas era um símbolo libertário e delicado da inutilidade: sua irmã.

Haruki recebeu a pilha de papéis pelo correio numa manhã de falsos tons apocalípticos, várias semanas antes de ser abordado no metrô por uma mulher esquisita e fascinante, e tão mais fascinante porque esquisita.

Não sabia o que fazer com os papéis, mas ainda assim uma voz sussurrava, por cima do seu ombro, junto ao ouvido, o hálito perfumado: vai e toma o pequeno livro aberto da mão do anjo que está em pé sobre o mar e a terra.

O profeta do Apocalipse tomou do livro e comeu. Era doce na boca e amargo nas entranhas.

Mas Haruki achava melhor deixar quieto o mistério. Ainda precisava, naquele dia já antigo, terminar as ilustrações prometidas ao outro editor, que deviam ter sido entregues semanas antes. Fazia vinte anos que trabalhava ilustrando livros e todos sabiam que seu ritmo era lento. Já lhe davam prazos imensos, por isso ele se sentia particularmente mal ao estourá-los. Mas isso sempre acontecia.

Deixou os papéis dentro do envelope. Deixou o envelope em cima do sofá, como quem realmente não se importa. Trataria deles depois.

Bem mais tarde, já à noite, a chuva finalmente desabou, pesada. Haruki resolveu se sentar à sua mesa de trabalho, diante da janela que àquela hora mostrava só a escuridão alagada lá fora. O mundo chiava como óleo quente numa frigideira. A chuva era tão impositiva que parecia suspender tudo mais.

Na aquarela surgiu um cristal de neve. Haruki nunca tinha visto a neve. Ela não fazia parte do vocabulário climático das poucas cidades da sua vida. Ele cavou com a ponta do pincel a ponta do cristal no papel. Não precisava ter a experiência direta das coisas. Podia apenas desenhá-las, isso já era experiência suficiente. Eis que ele podia criar neve nos trópicos, no final da primavera. Um cristal imperecível. Algo que transitava pelo território da esperança e do desafio.

Seu sobrenome, Ishikawa, compunha-se de dois ideogramas triviais: 石川. Ele sabia. O primeiro, de cinco traços, significava pedra. O segundo, de apenas três, significava rio. Herança deixada por Ishikawa pai: a ideia frágil de um rio corrente sobre pedras silenciosas, passando, apenas, em meio a um mundo de sonhos.

Haruki sabia que um rio falava de dúvidas. Nunca se atinha a si mesmo. Nunca se cristalizava na pedra que o acolhia. Ao mesmo tempo, a pedra, que parecia eterna, ia se gastando e se deslocando da maneira mais contundente de todas — sem alarde, sem aviso. O rio e a pedra, no sobrenome que Haruki havia herdado do pai, eram coisas que contradiziam gravemente a si mesmas.

19 de junho (à tarde)

Aproximo-me do livro. O diário de Bashō em Saga. São cinco e dez, uma tarde úmida e clara. Sozinha, vejo Kyoto do alto. Em algum lugar, nos arredores desta cidade, fica a Rakushisha, a Cabana dos Caquis Caídos.

    No pequeno aparelho de som coloquei a música que Haruki me trouxe de presente, antes de ir para Tóquio. Gagaku. Que em japonês, segundo o encarte do CD, significa música elegante, correta ou refinada.

    Não há um maestro regendo a orquestra. Os músicos seguem o toque do tambor.

    Presas com um ímã na porta da geladeira estão as instruções para a coleta seletiva de lixo. Sobre a pia, os pepinos e os tomates, as maçãs, os cogumelos e o alho. As pessoas que moraram antes neste apartamento deixaram coisas, e o pequeno espaço é uma pequena confluência do mundo também, um palimpsesto de gente que passou, mas quis firmar o atestado da sua passagem numa ou noutra pequena gentileza.

    Deixaram um filtro de café. Duas únicas e idênticas taças de vinho. Pratos descasados, xícaras de chá idem. Um resto de amaciante de roupas e um pouquinho de detergente. O aparelho de fazer arroz.

    Aproximo-me do diário de Bashō, cuja tradução para o português Haruki se prepara para ilustrar e que foi o motivo de sua viagem ao Japão. Leio:

No ano quatro da era Genroku, do Filho do Fogo e do Carneiro, no décimo oitavo dia da lua das dêutzias, viajo a

Saga, à casa de Kyorai, à sua Cabana dos Caquis Caídos. Bonchō, que me acompanha, volta para Kyoto ao cair da tarde. Quanto a mim, que planejo ficar por certo tempo, deram-me um quarto num ângulo da cabana, cujos tabiques foram refeitos e o jardim, limpo das ervas daninhas. Prepararam ali uma mesa de trabalho, uma estante de livros com as coletâneas de *Poemas chineses Hakushi* e *Honchō ichinin isshū*, a *Narrativa de Yotsugi*, *A narrativa de Genji*, o *Dário de Tosa* e *A coletânea de poesia clássica japonesa Matsuba*. Numa caixa de laca de cinco andares, pintada com pó de ouro em estilo chinês, colocaram vários tipos de doces, bem como uma garrafa do melhor saquê e cálices. Roupas de cama, bem como diversas iguarias, foram trazidas de Kyoto, e nada me falta. Esqueço minha miséria e aprecio plenamente esse bem-estar sossegado.

Os papéis dentro do envelope, o envelope sobre o sofá.

Todo o trabalho de Haruki como desenhista e ilustrador de livros era cuidadosamente transpassado por uma imagem, uma ideia, algo muito vago chamado Brasil, meio amazônico, um tanto litorâneo, invadido por paisagens de dentro e pela vontade de pegar com os olhos um chão que era vários, costurados dentro de uma mesma fronteira, grupo de irmãos siameses unidos ora pela mão, ora pelo estômago, ora por um fiozinho tênue de cabelo.

Em seu arsenal de metáforas visuais, Haruki pensava um Brasil de jabuticaba e jaracatiá, babaçu, ingá-cipó e curiola, jatobás imensos, bichos, rostos, rendas, cores, poluição industrial, cestos de capim dourado, crianças de barriga inchada, carrancas do Velho Chico, bolas de meia, lajes e pipas, água de rio, mulas sem cabeça, água de mangue, palafitas, água de mar, queimadas, bois da cara preta, pampas, extração ilegal de madeira, bosques chamados solidão.

E de repente, sem mais nem menos, lhe vinha o editor: vamos publicar a tradução de um dos diários de Bashō, o poeta japonês. A tradutora, Yukiko Sakade, sugeriu seu nome para ilustrar. Achamos uma ótima ideia.

Ótima ideia! Não era para ele, Haruki. Era para alguém com maior conhecimento de causa. Alguém que colocasse uma cerejeira florida no lugar do jatobá. Um samuraizinho no lugar do menino descalço.

Mas um instante de silêncio — as palavras também voavam, e não era possível capturá-las tão de imediato — foi o suficiente para seu editor ganhar o mundo. Vou te mandar os originais. Você dá uma olhada, depois a gente conversa.

Os papéis dentro do envelope, o envelope sobre o sofá.
A tradutora, Yukiko Sakade, sugeriu seu nome para ilustrar.

E se então ele fosse ao Japão? Foi o que lhe ocorreu dias mais tarde. Ideia estranha e Excessivamente Aventureira. Haruki não era disso. Só de imaginar a duração do voo dava vontade de desistir. Mas bem quando dava vontade de desistir a ideia se aferrava ao mundo, mordia o sono de Haruki, a categoria das coisas Excessivamente Aventureiras se afrouxava, ficava bamba, relaxava entre as letras das palavras, dando margem.

Nenhum vínculo com o país de seus antepassados. Nada. Nenhuma informação, nenhuma curiosidade.
 Alguém certa vez comentou com Haruki que era muito raro se associarem brasileiros e traços orientais, você raramente via esses traços em gente de novela, gente de tevê, gente da moda, gente dos palcos, gente de revista Caras.
 Haruki deu de ombros, eles pouco lhe importavam, esses tais traços orientais. Nem o espelho se lembrava disso.
 O Japão era apenas mais um país no mundo, assentado sobre terras que estavam lá desde os tempos em que os deuses Izanami e Izanagi cutu-

caram as regiões abaixo do céu e viram a água do mar que pingava da ponta de sua lança se coagular na ilha de Ono-goro-jima. Pousado sobre lendas como essa, repetidas na infância de Haruki, e que não lhe pareciam nem mais nem menos interessantes do que outras, de outras nacionalidades estrangeiras. O Japão não tinha nada a ver com sua vida e com seus olhos puxados.

Até que um dia conheceu aquela moça. Yukiko Sakade. A tradutora. Mas ela havia chegado e partido como um caixeiro-viajante, deixando um buraco de um ano de diâmetro em sua vida.

Sim, ela era nissei. E isso, nada mais do que uma coincidência. O mundo estava cheio delas — moças nissei, tradutoras, coincidências.

E agora o sono não vinha. O desenhista colocou de lado o lápis rombudo e o papel. Fazia algum tempo que todas as vozes humanas já tinham se calado dentro dos seus pensamentos. O mundo já não falava um idioma específico. Todas as coisas eram muito longe dali.

Muito longe. Se a vida admitisse uma dobra, e mais uma, e outra, sucessivamente, até o infinito, as superfícies estariam mais disfarçadas. Haveria sinuosidades onde se esconder à espera do sono, à espreita da morte. Haveria brechas, como tocas de animais ariscos, onde reparar o sonho, onde costurar na roupa remendos da vida oficial, nos lugares puídos pela ausência. Haveria como fitar a ausência nos olhos sem acordar o dragão que jazia lá dentro. Haveria vãos, alcovas, gavetas onde guardar segredos dentro de revistas velhas, pétalas murchas de flores brevíssimas entre páginas amareladas de livros muito lidos.

Haveria lapsos em que o criador daquele falso anjo do Apocalipse se entregaria a devaneios, e os gestos latentes poderiam se desembainhar, rompendo a pele da existência. Afirmando. Afirmando-se. Haveria como legitimar o que contrariava a lei das proporções, da gravidade, do movimento planetário, da eletrodinâmica, da conservação, da inércia.

Haveria como guardar para sempre uma pessoa dentro dos braços de uma noite específica, e das noites seguintes, poucas, insuficientes, guardar essa pessoa no aconchego de travesseiros e cobertas, no interior pulsante de um quarto, entre o disfarce de quatro paredes.

Dentro do desejo se estenderia o tapete da materialidade. Nenhum anjo do Apocalipse, falso ou verdadeiro, viria incomodar, porque os anjos estariam ali mesmo e seriam de carne, osso e sexo, com asas desdobradas, capazes de operar a queda invertida: do inferno ao céu.

Em Tóquio, longe de tudo, sozinho, Haruki adormeceu devagar. Havia um silêncio dentro dele, e esse silêncio era mais largo.

Celina

Hordas de estudantes japoneses subiam e desciam as ruas de Higashiyama. Celina tinha feito o caminho a pé desde a estação Karasuma, do outro lado do rio Kamo. Já era um trajeto conhecido, três semanas depois. Centro de Kyoto. Seguia pela Shijo, o comércio movimentado, as grandes lojas de departamento, cruzava a ponte e ia se embrenhar pelas ruelas de Gion, onde às vezes via as maiko, aprendizes de gueixa.
 Como seria possível que se sentisse em casa ali, se não entendia nem mesmo as inscrições nas placas ao seu redor? Se não tirava sentido das palavras ditas ao seu redor?
 Mas era uma casa. Era uma casa segura. Não havia o que temer em Kyoto, na solidão que tinha em Kyoto, aquela afável solidão acompanhada. Caminhava pelas ruas de pedra: Ninenzaka e Sannenzaka. Se escorregasse ali, segundo a tradição, teria dois ou três anos de azar, respectivamente.

Dois, três anos — o que era isso? Uma abstração. Números. Dois anos equivalem a 730 dias e meio. São 1/50 de um século. São 1/500 de um milênio. Em dois anos a Terra dá duas voltas em torno do Sol, desenhando sua elipse, alheia a todos os nomes que lhe são dados. Bobagens de se pensar, pensou Celina.

Ela observava as jovens de saltos altos equilibrando-se sobre as pedras. Todas lhe pareciam tão leves, quase como se flutuassem um pouco acima do chão, e a pele sempre tão clara. As moças que seguiam a moda, muitas, abusavam da maquiagem. Os cabelos eram longos e desfiados e às vezes alourados.

Em algum momento Celina chegou ao pequenino templo Koshindo, dedicado ao guardião budista Koshin-san. Havia dezenas e mais dezenas de trouxinhas coloridas de tecido penduradas. Ela se aproximou. Pegou um pequeno folheto à disposição dos visitantes, em inglês. As trouxinhas não eram trouxinhas, mas representações do macaco Kukurizaru, que, com as mãos e os pés atados, não pode se mover.

Livre-se de um dos seus desejos para ter um pedido realizado. Coloque esse desejo no macaco Kukurizaru, e o guardião Koshin-san te ajudará a controlá-lo. Se o desejo tentar escapar, una as mãos e recite o sutra budista: *on deiba yakisya banta banta kakakaka sowaka.*

Havia crianças brincando em frente ao pequeno templo. Celina entrou numa das lojas de artesanato.

Enquanto Marco tomava banho, na primeira tarde que os dois passaram juntos, ela ficou deitada na cama cantarolando *Peter Gast*: Sei voar e tenho as fibras tensas. Depois ele disse: você estava cantando para mim. E ela: não estava não.

Também cantava Peter Gast com frequência enquanto embalava Alice recém-nascida, a canção de Caetano Veloso entremeada às cantigas tradicionais de ninar. Ninguém é comum e eu sou ninguém.

Alice que trocava o dia pela noite. Alice que parecia ter olhos extraordinariamente grandes e nasceu com aquelas duas bolotas pretas abertíssimas, dispostas para o mundo.

Na loja de artesanato em Higashiyama havia sandálias zori, com tiras de junco, sola em formato de cunha. Vários tamanhos. Algum daqueles pares caberia em Alice. Ela gostaria também das meias tabi, divididas no dedão, específicas para as sandálias zori e para os tamancos geta, de madeira, muito altos.

Em algum lugar Celina leu que séculos antes as mulheres usavam geta com até dezessete centímetros de altura. Olhou para os próprios pés. Como seria possível caminhar daquele modo, com dezessete centímetros de distância entre sua pele e o chão.

Celina tentou explicar à vendedora o tamanho das sandálias. Tentou lhe dizer que não eram para si própria, mas para uma criança de sete anos de idade.

A vendedora chamou a menina que estava sentada num canto, afagando um gato branco. Celina olhou para os pés da menina.

Hai — palavra que ela já sabia querer dizer sim — mais ou menos daquele tamanho.

No começo da gravidez Marco passava mal junto com ela. Ele se sentia tão nervoso que tinha enjoos matinais simultâneos aos seus. Celina sorria e passava a mão pelos cabelos de Marco e os dois acabavam na cama e ele dizia a gente precisa tomar cuidado com o bebê.

E depois — e depois — e depois. Reaprender a andar como Alice aprendeu a andar um dia, aos onze meses de idade, adestrando ossos, músculos, tendões. As ruas que Celina pisava podiam trazer um período indefinido de azar se por acaso ela caísse. Todas as ruas. Todas as calçadas, as escadas, as pontes, as plataformas de metrô.

Que mistério, estar ali, em Kyoto, pensando em Alice. Um mistério tangível, visível, um mistério-libélula batendo suas asas pequenas no infinito do ar. Sacudindo imagens, cheiros, memórias, ideias, vontades, sacudindo o universo com a oscilação quase nada de suas asas quebradiças.

Que mistério, estar ali, em Kyoto, pensando em Marco. Um mistério concreto, sensível, um mistério que a agarrava pelo pescoço e a projetava no infinito do ar. Ter rompido os elos, os laços, tudo aquilo que conduzia a ele. Menos a mágoa. A memória de ter caído, um dia, na rua que lhe traria mais azar. De ter partido o espelho. De ter invocado o desespero na oscilação quase nada das asas quebradiças de uma libélula.

Celina saiu da loja de artesanato com sua sacola. Ainda demoraria a escurecer. Poderia caminhar à luz do dia. E caminhar, e caminhar. Subir as ruelas em aclive até o Kiyomizudera, o templo da Água Pura, com seus doze séculos de idade, visitado por multidões de estudantes em busca do melhor ângulo para as fotografias. Todos os grupos, todos eles, Celina constatou, faziam um V com os dedos indicador e médio ao posar para as fotografias. Como o velho paz e amor dos hippies. A sacola de compras com o par de sandálias zori balançava entre os dedos de Celina, para frente, para trás, para frente, para trás.

20 de junho

Voltando do Kiyomizudera, o templo da Água Pura, para casa, encontrei essa loja de incenso. Não sei quanto tempo passei lá dentro. Havia tantos tipos de incenso, varetas e lascas e cones e espirais. Li que é uma especialidade de Kyoto há séculos. Li que a arte do incenso aqui é tão tradicional quanto os arranjos florais da ikebana ou a cerimônia do chá.

Havia algo escrito no pacote de incenso que resolvi comprar. Perguntei à vendedora o que era. Ela não falava inglês.

Mukashi mukashi, ela me disse, lendo as palavras no pacote. Mukashi mukashi. Fazia gestos com a mão para indicar tempo passado.

Mukashi mukashi é como se iniciam com frequência as histórias no Japão. Mukashi mukashi — muito tempo atrás. O incenso que comprei era um aroma inspirado por um livro.

Acendi o incenso e coloquei dentro de uma pinha que tinha catado na rua. Liguei a tevê e zapeei por meia dúzia de canais. Desliguei a tevê. Lembrei-me de Marco e do dia em que tirei do mundo o caminho que levava até a Marco. Um silêncio de mortos no campo de batalha. Um tom de sangue seco. Braços decepados. Olhos vazados. Um fantasma passa por entre os cadáveres sem tocar o chão.

Mukashi mukashi — muito tempo atrás.

O incenso era verde e a fumaça começou a se espalhar muito devagar pela sala. Pensei no seu trajeto em meu corpo. Das narinas aos pulmões. Pensei se o meu sangue tragaria aquela fumaça de incenso e levaria até as células. Se as células iam se aninhar na fumaça adocicada e boa do incenso de Kyoto.

20 de junho (madrugada)

Não sabia o que esperava por mim quando pousamos no Japão. Trocamos de avião em Amsterdã. Eu nunca tinha saído do meu país. Nunca tinha tido muito dinheiro nem muita vontade para isso. Talvez nem pretendesse sair. Nunca, durante toda a vida (essa aventura de duração indefinida da qual brotam alçapões).
    Por que disse sim a Haruki e seu convite? Teria sido pelo inusitado, e pela beleza do rosto dele diante da porta do táxi na São Clemente, olhando para longe, para a noite iluminada do Rio?
    Nunca pensei em pegar minhas economias e gastá-las num bilhete de avião Rio-Amsterdã--Osaka-Amsterdã-Rio.
    Mas que diferença, ter ou não ter economias guardadas. Se eu tinha, era por puro acaso. Era para nada. Decerto não era para quando eu envelhecesse, nem para comprar um carro ou dar de entrada num imóvel, nem para a possibilidade de uma doença. Essas coisas são tentativas frágeis demais de se estabelecer um futuro. Não acredito nelas. Essas coisas, hoje eu sei, são só para dar nome a alguma espera. Servem para quem espera.
    Meu país foi ficando muito longe. Minha língua. De repente os rostos latinos se pulverizaram, seguiram de Amsterdã para outros destinos, e eu me tornei uma diferença. Fim das lusofonias nas proximidades.

Nosso avião sobrevoou a Rússia e chegou a Osaka numa manhã brilhante de verão. Eu tinha viajado por tantas horas e através de tantos fusos que meu corpo parecia suspenso, como se eu não existisse de verdade. A toda hora sentia cãibras nos pés. Já não desconfiava mais se deveria estar dormindo ou acordada, almoçando ou jantando, se deveria ou não sentir fome.

Havia um transporte esperando para nos levar a Kyoto, a cerca de uma hora e pouco dali. Uma van com motorista impecavelmente vestido, luvas brancas e quepe. Bancos protegidos com forro de renda branca, impecavelmente branca e limpa. Outros passageiros que chegavam a Osaka e, como nós, tinham seu destino final em Kyoto. Carro novo, estrada perfeita, sinalização idem, o motor rugindo baixinho e as rodas rolando quase imperceptivelmente.

A passageira à minha frente falava inglês. Virava-se para traduzir as orientações que o motorista dava, em japonês, pelo microfone. Não que tivéssemos perguntado nada. Era uma primeira demonstração daquela solicitude dos moradores de Kyoto que tantas vezes me surpreenderia, nas semanas seguintes. Uma solicitude quase nervosa, quase ansiosa. Um milagre.

Quando chegamos à cidade, eu sentia sede. Perguntei a ela se não haveria água para beber, ali na van. Preocupada, ela trocou umas palavras em voz muito baixa com a senhora ao seu lado.

Voltou-se para mim e me disse que não. Mas que a van pararia num posto de gasolina, poderíamos comprar. Não é o caso, falei. Logo estou em casa. Em casa, eu disse.

Ela e a senhora ao seu lado — sua mãe? — desceram juntas antes de nós, numa casinha ladeada por pequenas faixas de terra, diminutos quintais, com plantações de arroz. Uma entrou em casa rapidamente, enquanto a outra ajudava o motorista a tirar as malas.

Antes de partirmos, a senhora japonesa voltou à van com quatro saquinhos de papel pardo. Entregou um a mim, um a Haruki, um ao outro passageiro que ainda não tinha desembarcado e o último ao motorista.

Abri. Havia uma garrafa de chá verde gelado, uma latinha de café gelado (desses que se compram muito no Japão em máquinas automáticas, como eu constataria nos dias seguintes) e um pacote de biscoitos.

Havia uma certa tarde, uma tarde específica, de que Celina sempre se lembrava. Era como se tivesse ficado decalcada em meio a outras imagens que acatavam pacificamente o esquecimento. Aquela tarde não parecia disposta a se submeter.

Não tinha nada de mais. Talvez por isso. Uma tarde que se esquivava do rótulo de celebridade. Que não pretendia, não almejava.

Os três e a Lagoa. Celina, Marco e Alice. Alguns biguás por ali. Gente passando, não muita. O Rio de Janeiro era só uma cidade reencontrada com seu eixo de torpor. Só uma cidade, sem subtítulos, sem ser capital de nada, nem da beleza, nem da miséria, nem do medo, nem das guerras do narcotráfico, nem do Carnaval, só uma cidade momentaneamente apequenada. De máscaras cochilando. São Sebastião sem as flechas.

À beira da Lagoa, estavam aqueles três: mãe, pai, filha pequena adormecida no carrinho. Nenhum dos três particularmente belo, particularmente feliz ou infeliz, apenas caminhando enquanto, ao redor, biguás pousavam e levantavam voo.

Marco e Celina sentaram-se num banco. Ele puxou o carrinho para perto de si. Alice dormia de boca entreaberta e um filete de saliva escorria por entre os lábios rechonchudos, formando uma pequena mancha oval e úmida no travesseiro. Celina deitou no banco ainda quente do sol que tinha acabado de se pôr. A cabeça na coxa de Marco. A testa franzida para o céu claro e o olhar acompanhando um biguá.

Tão fácil. Tão assustadoramente fácil, ela pensaria, depois, quando nada mais podia voltar a ser fácil, quando nada mais podia incluir Marco e Alice — e aquela tarde se agarrava à memória como se fosse um insulto.

Alice

Cedo tiraram as rodinhas da bicicleta, Alice não precisava mais delas. Antes de saber ler ou escrever já tinha intimidade com os pedais e o equilíbrio, gostava da velocidade. Com meia dúzia de tombos, aprendeu a ter confiança no espaço.

Era bem barato. Meia dúzia de tombos para poder rodar por aí.

Havia aquela comprida estrada de terra perto de onde morava a avó, no interior do estado. Alice não tinha permissão para passear sozinha. Ia sempre algum adulto, ou uma criança mais velha, junto. Alice pedalava e os pneus rangiam sobre as pedrinhas do caminho. A estrada ia ficando mais e mais irregular com a passagem dos meses. A estação das chuvas escavava buracos e criava atoleiros. De tempos em tempos, mas não com a frequência necessária, mandavam alisar com um trator que todo mundo chamava de "a máquina": passaram a máquina na estrada.

Quando passavam a máquina na estrada perto da casa da avó era difícil segurar Alice. As distâncias encurtavam. Ela ia comprar bala na venda muitas vezes por dia, só para poder ter os pedais tocando seus pés e os músculos das pernas finas fabricando a velocidade sobre os dois pneus equilibrados entre o ar e o ar, sobre o chão de terra.

Também gostava de estar descalça. Seu objetivo era conseguir endurecer as solas dos pés o suficiente para que os sapatos não fizessem falta nunca. Às vezes exercitava: andar sobre as pedrinhas duras, que lhe davam pontadas de dor. Andar no chão quente sob o sol a pino. Cada dia progredir um pouco mais. Depois sentia a aspereza das solas dos pés com a mão, as pequenas rachaduras nos calcanhares, e avaliava o avanço do seu empenho secreto.

Tinha ouvido dizer que moças precisam ter pés finos. Via as unhas pintadas e os pés tratados de sua mãe. Que bobagem.

Era bom sentir os pés descalços nos pedais da bicicleta. Pisava com força e sentia o metal na pele enquanto sentia o vento que ela mesma criava.

21 de junho

Haruki dormiu longamente durante a primeira tarde que passamos em Kyoto. Estava exausto. Não sei se chegou a pregar os olhos por muito tempo no avião. Viu alguns filmes. Disse que um deles foi *O poderoso chefão*. Levantou uma porção de vezes.

Eu estranhava o céu pálido daquele fim de primavera e aguardava a qualquer momento a chuva prometida, torrencial — que, no entanto, e contrariando as expectativas, tão cedo não viria. Só cairia a primeira chuva depois que Haruki fosse para Tóquio. Eu desconhecia os símbolos nos rótulos dos produtos que aos poucos ia desentocando dos armários, no apartamento. Ia tentando descobrir o que era o quê pelo cheiro.

    Ele dormia, na primeira tarde nesta cidade. Naquele momento não era de ninguém, não era sequer de si mesmo, ele era antes uma reconstrução. Um romance. Uma ficção por trás dos olhos fechados. Havia uma dor guardada em algum lugar? Será que todas as pessoas têm uma dor guardada em algum lugar? Se houvesse, que tamanho teria?

    Como medir a dor? Haveria unidades pessoais? Centímetros cúbicos, milhas, hectares? E a dor passaria? Simplesmente a dor choveria na época certa, que por aqui chamam tsuyu, a estação chuvosa, um pesadelo no início do verão? E depois a umidade da dor evaporaria sob um sol de promessas?

    Saí para dar uma volta, enquanto ele dormia, naquela primeira tarde. Vi lá fora os meninos uniformizados para o jogo de beisebol, depois da escola. Eram todos magros e espichados, os uniformes azuis e brancos impecáveis. Eu também começava a sentir sono. Eram doze horas a mais no meu corpo. Em casa, no Rio, seriam cinco e pouco da manhã.

Quando voltei, Haruki ainda dormia.

Olhando para ele, pensei vagamente em sexo, o sexo que era inédito entre nós dois. Acho que dei uma risada. Estávamos os dois ali, entre paredes, tínhamos dado meia-volta ao planeta juntos.

Continuei onde estava. Fechei a porta para que os meus barulhos na sala o deixassem em paz. Se bem que ainda não sabia até que ponto seu sono era incomodável por barulhos.

Seria possível pedir a ele que me desse um roteiro, como um guia turístico de si mesmo?

Um manual. Que frases adequadas dizer em cada situação. A cor da festa e a cor do luto. Setas indicando direções. As consequências da guerra interna. As prerrogativas do poder.

Agora me pergunto se deveria ter ido com Haruki até Tóquio. Companhia. Amizade. Sexo. Mãos a atar. Futuros a fingir. Talvez sim, talvez não. Pego as folhas da tradução que ele deixou para mim e reencontro o poeta Bashō.

19º DIA

POR VOLTA DO MEIO-DIA E MEIA, VISITAMOS O TEMPLO RINSEN. O RIO ŌI CORRE DIANTE DELE, E À DIREITA SE ERGUE O MONTE ARASHI, LOGO ATRÁS DA ALDEIA DE MATSU-NO-O. É GRANDE O VAIVÉM DOS PEREGRINOS FAZENDO SUAS DEVOÇÕES A KOKUZŌ. NOS BOSQUES DE BAMBUS DE MATSU-NO-O ESTÁ A SUPOSTA RESIDÊNcia da senhora Kogō, o que soma três com as que ficam mais ao norte e mais ao sul de Saga. Qual delas é a autêntica? Esta fica próxima do local onde se diz que o famoso Nakakuni desceu de seu cavalo, e que se chama Ponte da Parada do Cavalo, então talvez seja a verdadeira. O túmulo de Kogō fica nas proximidades de uma casa de chá entre os bambus. Plantaram uma cerejeira para marcar o local. Com a devida reverência, essa senhora viveu seus dias entre brocados e damascos, mas ao fim se tornou pó em meio à vegetação rasteira. Evoco as lendas de outrora — os salgueiros da aldeia de Shōkun e as flores do Mausoléu de Fujo.

DESTINO IMPIEDOSO —
VIRAR BROTO DE BAMBU
ERA SEU FIM

UKI FUSHI YA
TAKE NO KO TO NARU
HITO NO HATE

No monte Arashi
densa mata de bambus —
o vento abre caminho

ARASHIYAMA
YABU NO SHIGERI YA
KAZE NO SUJI

Quando o sol começa a descer no horizonte, voltamos à Cabana dos Caquis Caídos. Bonchō chega de Kyoto. Kyorai retorna a Kyoto. Deito-me assim que a noite cai.

Havia três rosas já murchas no vaso. Marco tinha chegado da feira no domingo com aquelas três rosas. Uma amarela, duas vermelhas. Três rosas acompanhando três papaias e algumas maçãs pequenas e ácidas do jeito que Celina gostava, e caquis para Alice. E um maço de espinafre.

À tarde Alice foi para a praia com a família da amiga. Levaram bicicletas. A amiga de nove anos de idade que enchia Alice de orgulho porque ela própria tinha acabado de fazer sete e era sempre um privilégio andar com crianças mais velhas. A amiga era quatro dedos mais alta. Alice olhava para aqueles centímetros acima dos seus e sentia algo próximo da adoração.

Em casa as três rosas desprendiam um cheiro açucarado. Celina dormia quando Marco foi para o quarto. A janela estava aberta e o ar, quase parado, mal fazia oscilar a cortina. A luz da tarde era aguda e entrava em cheio, mas Celina dormia, o corpo algo pálido sobre a colcha muito colorida, as pernas nuas, a calcinha branca e simples, quase infantil, a camiseta vermelha quase usada demais.

    Marco se deitou do lado dela. Olhou para Celina sem pressa.

    O que você faria, Celina tinha lhe perguntado na noite anterior, se fosse seu último dia comigo?

    Na noite anterior, ele levantou os olhos para ela e sorriu. Mas que ideia.

    É que eu estou lendo isso aqui neste livro — ela explicou. Um último dia, e os dois sabem, porque ela vai embora, e não há nada que ele possa fazer a respeito.

    Pode ir junto.

    Não, neste caso não pode.

    Você anda pensando em ir embora?

    Ela sorriu, fez um gesto displicente com a cabeça e abaixou os olhos de novo para o livro.

    Então ele se lembrou: o que faria se fosse seu último dia com aquela mulher que tinha os mesmos olhos de sua filha.

    Celina estava de olhos fechados. Adormecidos. Marco estendeu devagar a mão até o seu peito, por baixo da camiseta. Procurou o bico de um seio. Ela veio vindo de dentro do sono de forma quase imperceptível, sem nenhum ruído, apenas ondulando um pouco os ombros. Abriu os olhos ligeiramente e procurou Marco. Ele olhou para ela. Fecha os olhos, disse.

Puxou a camiseta que ela vestia para o alto. Os peitos que ele conhecia. Os bicos dos peitos que ele conhecia, com aquela cor, aquela consistência, aquele gosto. Marco deslizou a camiseta pelos braços dela, e pelas mãos. Então uniu os dois punhos de Celina junto à cabeceira da cama. Esticou a camiseta e começou a amarrar, devagar, com paciência e delicadeza, porque, afinal, nem mesmo se fosse o último dia do mundo haveria motivo para pressa.

Ela abriu os olhos. Fecha os olhos, ele disse. Puxa os braços, ele disse. Ela puxou de leve. Com mais força, ele disse. Ela puxou com mais força. Não conseguiu se soltar.

Marco desceu as mãos sobre seu peito, desceu pelo corpo todo até ficar deitado sobre as duas pernas fechadas de Celina. Segurou-as com força. Envolveu-as. Tenta abrir as pernas, ele disse. Ela tentou. Ele apertou mais.

Deslizou a boca sobre as coxas unidas até os pés. Os dedos dos pés, que ali na beira do sono eram quase frágeis. Devagar, ele deixou que a língua ocupasse o pequeno espaço entre os dedos, um a um. Como se medisse o tamanho daqueles vales minúsculos. Devagar ele envolveu, um a um, os dedos com a boca. Dos pés voltou aos tornozelos e aos joelhos e às coxas. Com a mão livre desceu ligeiramente a calcinha branca.

Olha só o que eu encontrei.

E o dedo descrevendo movimentos circulares quase imperceptíveis num ponto mínimo entre as pernas fechadas.

Será que é isso o que eu faria se fosse o último dia?

Na sala as rosas doces, três delas.

E na praia o vento salgado embaraçando os cabelos de Alice, que ela estava gostando de deixar bem compridos como os de sua amiga de nove anos. Sentia o chicote úmido sobre o rosto — o ar, o vento, a maresia.

A estação de Kyoto era um lugar de que Celina gostava. O movimento intenso não a intimidava. Tinha lido ser uma das maiores construções do Japão. Gostava daquela grande escadaria com quase duas centenas de degraus. Da fachada futurista, com suas faces de vidro irregulares. Dos vários andares de comércio, cinemas, teatro, a loja de departamentos Isetan, e tudo disposto de um jeito meio inexplicavelmente orgânico inclusive pelo subsolo.

Algumas vezes Celina e Haruki se perderam ali, em busca de um ponto específico que parecia sumir num mar de gente, de lojas, de comida, de araras de roupas.

Celina foi até a estação acompanhar Haruki no dia em que ele tomou o trem-bala, o Shinkansen, para Tóquio, em busca da memória do poeta Matsuo Bashō: Nozomi, o mais rápido dos trens, que corria a trezentos quilômetros por hora.

Haruki estava silencioso. Sentaram-se antes para um chá num lugar qualquer, escolhido sem muito cuidado. Passar o tempo.

Haruki comprou donuts da cadeia ocidental. Estavam doces demais. Mas eles são assim mesmo, Celina falou. São doces muito doces. Me dão cócegas na garganta.

Fazia uma semana que Haruki e Celina haviam chegado a Kyoto. Ele então resolveu partir para Tóquio, e de lá talvez ainda mais para o norte. Se tinha ido tão longe, queria ir mais longe ainda. Uma ideia possível: visitar Sendai, a terra da família de seu pai?

Você ia ficar feliz, velho. Cutucar o passado com a ponta do dedo do pé. Para constatar sua imobilidade?

Ir colhendo pelo caminho as imagens com os olhos, sua melhor câmera fotográfica (mas tinha uma outra, pelo sim, pelo não). Ir deixando que a terra de Bashō fosse entrando nele pelos cinco sentidos, se aninhasse em seus pulmões, ficasse impressa em suas digitais, ondulasse em chá verde sobre sua língua (mesmo que acompanhada de donuts), tocasse em seus tímpanos um grande sino de templo zen, mesmo que embaraçado em timbres distintos e profusos de telefones celulares.

Deixar sobretudo que a terra de Bashō se estampasse em seus olhos e na memória de seus olhos, ainda que em meio a toda a poluição visual que atraía críticas ao Japão dos seus dias. Ver o salto da rã no velho poço de Bashō, ouvir o ruído quase nada da água, e depois acompanhar os círculos concêntricos a se propagar e a desaparecer. Quase um sonho. Quase vida real.

Para Tóquio, sem Celina, que preferiu ficar em Kyoto.

Haruki ainda se perguntava o que Celina tinha encontrado ali em Kyoto. E o que Celina tinha encontrado em seu coração para acompanhá-lo, aquela aceitação tão estapafúrdia de um convite estapafúrdio, duas negativas juntas formam e sempre formarão outra negativa.

Se ela fugia, se corria, se acorria, se acudia, se esquecia, se lembrava, se fechava os olhos, se os abria.

O desenhista e a moça que fabricava bolsas de pano dormiram juntos na mesma cama durante uma semana. Foi assim: vestidos, pegavam um travesseiro para cada um. Uma coberta para cada um.

Houve aquela noite em que seus olhos se cruzaram mais do que o normal. As luminárias nas mesas de cabeceira estavam acesas. Celina lia. Haruki consultava uns folhetos apanhados durante o dia. E quando ela fechou o livro e se virou para ele — foi o momento em que estiveram mais próximos do lugar de silêncio onde as coisas que acontecem não têm nomes.

Os olhares se tocaram como se os corpos estivessem prestes. E apenas não soubessem como continuar, como metamorfosear olhar em tato.
Havia a cantiga dos grilos lá fora. Insetos de esquecimento.
Os corpos continuaram onde estavam e as luminárias das mesas de cabeceira ficaram acesas por mais algum tempo. Finalmente as palavras saíram por entre os lábios de Celina. Desgrudaram sua pele úmida, roçaram nos dentes e vingaram: é bonito, o livro, ela disse. E em algum lugar, alguma coisa muito frágil, um quase nada de esperança se rompeu.

Do que fugir. Como se houvesse fuga. Só no sentido musical, talvez, como as fugas de Bach, em que uma voz perseguia a outra, e os caminhos pareciam ganhar autonomia, mas teriam de chegar a um acorde final. Haruki sabia tocar fugas de Bach ao piano, embora fizesse anos que já não chegava perto do instrumento. Será que ainda era capaz? Disseminar melodias que se despistavam e procuravam, como amantes em jogos eróticos? E o que Bach pensaria disso, jogos eróticos — ele, um homem de deus? Era possível fazer essa divisão entre as coisas do corpo e as do espírito, ou ambas estavam (eroticamente) imbricadas, como a linha melódica de uma fuga? Mas o espírito, Haruki pensava, morava nas células nervosas, e o corpo era substância volátil, como álcool — apenas demorava um pouco mais para se volatilizar.

Seria, ainda, possível despistar o coração na linha melódica do pensamento? Haruki intuía alguma coisa sobre Celina. Talvez por isso não chegasse a se aproximar dela para além de uma certa barreira do som.

A bem da verdade, ele era um intuitivo.

Não fazia muito tempo, tinha intuído o silêncio em outra mulher. Primeiro tinha intuído a felicidade, assim: como poderia estar menos do que escrito, maktub, em todas as estrelas? Depois aquela mulher adorada voltou para sua própria e outra vida, aquela mulher adorada e sua aliança totalmente consistente na mão esquerda, aquele atestado controverso de um outro vínculo, e Haruki intuiu o silêncio necessário de uma última tarde em que só o que se dizia era a chuva forte lá fora.

Guardava dessa mulher invisível, desse corpo alcoólico que evaporou quando o sol voltou a bater, uma quantidade alarmante de desenhos. Durante um ano inteiro achou que ela apareceria em tudo o que imaginasse. Ponta do lápis, ponta do pincel, ali estava ela, sempre — e os editores achando que ele verdadeiramente ilustrava as histórias que lhe mandavam, quando só o que ele fazia era gritar em cores a perdição de estar afastado do que mais desejava. De quem mais desejava. Ele se sentia monotemático a um nível constrangedor, na sobrevida de seus desenhos. Que fosse. Até quando fosse. A linha melódica duplicada numa fuga até o acorde final.

Yukiko era o nome dela. A tradutora. Yukiko havia trazido consigo Bashō, e aquela inconsistência nipônica do próprio Haruki apesar de seu pai e de seus traços físicos e tudo mais. E o editor falando de um desafio e blá-blá-blá.

Este é o desafio. No assento de um trem-bala entre Kyoto e Tóquio. Deve haver como me perder, de algum modo. Deve haver como me perder para encontrar aquele lugar no mundo que nunca foi pisado antes, um território realmente virgem. Deve haver um modo, quem sabe, de partir em viagem e não regressar mais. Reduzir-se à mochila que vai às costas e a umas poucas mudas de roupa. Reduzir-se, ou agigantar-se, a uma ausência de casa própria e cidadania, esfacelar o papel pega-mosca do cotidiano e fazer dele mesmo, cotidiano, uma aventura infinitamente deslocável. Descolável. Desgrudá-lo do chão. Levantar os pés para caminhar, estudar a bússola e o mapa, mas randomizar todos os gestos. Traçar uma reta, menor caminho entre dois pontos, e picotá-la com a tesoura, apagar trechos com a borracha, dissimular outros com o esfuminho, despistá-la em curvas. De tal modo a esquecer que um dia chegou a ser uma reta, dotada de ponto final. De objetivo. Desobjetivar-se. Esse, o território realmente virgem — o único. Assumir como um sentido a falta de sentido da vida. Em todos os sentidos.

Ele intuía alguma coisa sobre Celina. Algum silêncio também, que agora os separava assim: depois de terem atravessado meio planeta, ele ia, ela ficava. Em casa, em Kyoto, que parecia sua casa sem nenhuma possibilidade de sê-lo, e talvez justamente por isso.

Bashō

22 de junho

Saí para passear com Bashō. Coloquei as folhas soltas dentro da bolsa. Resolvi ir ao Tetsugaku no michi, o Caminho do Filósofo. Desci na estação Keage e decorei o nome em japonês: Tetsugaku no michi? — foi o que perguntei algumas vezes aos passantes.

Rostos bonitos e solícitos me davam orientações que eu não entendia, mas os gestos de suas mãos me indicavam uma direção a tomar. Eu seguia os sorrisos. Estou seguindo os sorrisos dos moradores de Kyoto. Eles me dão um norte. Eles me conferem autenticidade. Sento num banco e tiro as folhas de dentro da bolsa.

20º dia
A monja Ukō chega para ver o festival do norte de Saga. Kyorai vem de Kyoto e recita um poema escrito no caminho:

CRIANÇAS BRIGANDO
SUA ALTURA ALCANÇOU
A DA CEVADA

TSUKAMIAU
KODOMO NO TAKE YA
MUGI BATAKE

A CABANA DOS CAQUIS CAÍDOS PERMANECE O QUE ERA QUANDO O ANTIGO PROPRIETÁRIO A CONSTRUIU, MAS AQUI E ALI ESTÁ SE DETERIORANDO. A MELANCOLIA DE SUA CONDIÇÃO COMOVE MEU CORAÇÃO MAIS DO QUE SE ESTIVESSE NOVA. AS VIGAS DE MADEIRA ENTALHADA E AS PINTURAS DAS PAREDES FORAM DEVASTADAS PELO VENTO E ENCHARCADAS PELA CHUVA. PEDRAS CURIOSAS E ÁRVORES DE FORMATO ESTRANHO ESCONDEM-SE SOB TREPADEIRAS QUE CRESCERAM DEMAIS. DIANTE DA VARANDA DE BAMBU HÁ UM ÚNICO LIMOEIRO, COM FLORES AROMÁTICAS.

FLOR DE LIMOEIRO —
LEMBRANÇA DOS VELHOS TEMPOS
E DA COZINHA

YU NO HANA YA
MUKASHI SHINOBANU
RYÔRI NO MA

CANTA O CUCO
ENTRE OS CAULES DO BAMBU
NOITE ENLUARADA

HOTOTOGISU
ŌTAKEYABU O MORU
TSUKIYO

A MONJA UKŌ:

VOLTAREI
QUANDO ESTIVEREM MADUROS
OS MORANGOS DO MONTE SAGA

MATA YA KON
ICHIGO AKARAME
SAGA NO YAMA

A ESPOSA DO IRMÃO MAIS VELHO DE KYORAI NOS ENVIOU DOCES E IGUARIAS. ESTA NOITE, A SENHORA UKŌ FICA CONOSCO, SOMANDO CINCO PESSOAS SOB UM ÚNICO MOSQUITEIRO. O SONO FICA DIFÍCIL E DEPOIS DA MEIA-NOITE TODOS NOS LEVANTAMOS, ENTÃO LEVAMOS PARA FORA OS DOCES E OS CÁLICES DE SAQUÊ DA TARDE E CONVERSAMOS ATÉ O AMANHECER. NO VERÃO PASSADO, QUANDO BONCHŌ DORMIU EM MINHA CASA, ÉRAMOS QUATRO PESSOAS DE QUATRO PROVÍNCIAS DIFERENTES, DORmindo sob um mosquiteiro. "Quatro pensamentos, e portanto quatro tipos diferentes de sonhos", alguém disse, brincando, e todos rimos. Chega a manhã, Ukō e Bonchō voltam para Kyoto, e Kyorai fica.

Para chegar ao Caminho do Filósofo passei pelo templo Nanzenji. Fiz uma anotação mental: voltar ao templo num outro dia, num outro momento. E continuei perguntando: Tetsugaku no michi?
 Gestos enfáticos e palavras que eu não compreendia tentavam me ajudar. Entendi vagamente a direção em que devia seguir. Ameaçava chover. Acabei decorando a grafia do nome e conseguindo acompanhar as placas por conta própria: 哲学の道
 (Mais tarde destrinchei os sinais gráficos. Um bom tempo de internet foi necessário para isso. E esbarrei numa outra informação, a de que o idioma japonês usa cinco sistemas diferentes de escrita. Os kanji, que chamamos de ideogramas mas que são, literalmente, letras chinesas importadas pelo Japão. Dois silabários, hiragana e katakana, o segundo sobretudo para a grafia de palavras ocidentais. Romaji, os caracteres latinos. E mais os algarismos indo-arábicos.)
 Fazia calor. Uma pancada de chuva durou dez minutos, não mais. Parei para tomar um sor-

vete com doce de feijão. Vinham também frutas e cubinhos de gelatina transparente. Não comi a gelatina.

Fiquei sentada, sozinha na proteção da pequena casa de chá, vendo a chuva molhar o asfalto. Logo o céu se abriu de novo, inteiramente azul. Turistas altos e louros passavam em bicicletas alugadas e riquixás conduzidos por japoneses magros e fortes.

Tenho a impressão de que todos os japoneses são magros. Já devo ter escrito isso noutro momento. Eles me parecem sempre prontos a levitar, como se mal tocassem o chão, numa elegância impossível para um ocidental. Perto deles sinto-me excessiva, bruta, desajeitada.

Mas tenho tentado tratar os objetos com a reverência que eles parecem merecer aqui.

O gesto de tirar os sapatos para entrar num templo, ou em casa, que é um templo também: comedido, cuidado. Nunca espalhafatoso. Os sapatos se descalçam nem devagar nem com pressa, apenas no tempo justo e com os movimentos justos. Do mesmo modo são colocados no chão. Não consigo imaginar um japonês atirando seus sapatos de qualquer jeito no chão e mal se voltando para ver como foi que eles aterrissaram.

Mas posso estar enganada. Sempre posso. O que é que eu sei sobre os japoneses? O que eu conseguiria chegar a saber, mesmo que fizesse de Kyoto efetivamente o meu lar, e ficasse aqui por um punhado de anos ou décadas?

Os turistas louros de bicicleta contracenavam com os jovens japoneses à saída da escola. Acho-os bonitos, esses adolescentes, eles me passam um ar algo andrógino. Gosto de seus corpos magros e suas roupas folgadas e seus cabelos intencionalmente despenteados. Dos rapazes mais do que das moças. Elas, as moças, estão quase sempre excessivamente maquiadas, o rosto parece um artifício. Acho graça quando pegam seus telefones celulares coloridos cheios de penduricalhos e Hello Kitties. Acho graça nas estantes inteiras de produtos Hello Kitty nas lojas. Toalhas, bolsas, camisetas, guarda-chuvas, canetas, bijuterias, cadernos, leques, pingentes para celular, chaveiros, baralhos, toda sorte de quinquilharias.

 E por fim lá estava eu no Caminho do Filósofo, 哲学の道, que começa na ponte Nyakuoji e vai margeando o canal até chegar ao Templo do Pavilhão de Prata, o Ginkakuji. O caminho ganhou seu nome por causa de um filósofo, Nishida Kitaro, que foi um dos mais importantes do Japão e gostava de caminhar por ali.

 Se eu tivesse chegado uns meses antes veria as cerejeiras em flor no caminho de Nishida Kitaro. A cor agora é o verde das árvores, há peixes no pequeno canal de águas transparentes. Há lojinhas de um lado e de outro, casas de chá, pequenos restaurantes. Gatos. Nas paredes do canal cresce musgo entre as pedras.

* * *

E então as páginas, poucas, do *Diário de Saga, Saga Nikki*, foram guiadas até chegar às mãos de Haruki. Yukiko, a tradutora, já tinha falado a ele sobre Bashō antes que o silêncio aparecesse na vida — vida? — que ela e Haruki tinham juntos.

Um antigo poeta do Japão. Nada que interessasse particularmente a Haruki: apenas na medida em que tudo o que interessava a essa mulher era mais urgente do que a fome, do que a sede, do que o sono, do que as catástrofes naturais, globais, planetárias, interplanetárias, cósmicas. Sua pequena catástrofe particular.

Assim, Matsuo Bashō veio parar em sua vida através dela.

Com a tradução nas mãos, ele foi procurar qualquer coisa sobre Bashō num livro. Achou aquilo que Yukiko já tinha contado, e mais. Agora ela já não estava mais ao seu lado para conversas possivelmente longas que começariam na sala, com uma música qualquer, uma bebida qualquer e uma comida quase intocada, e terminariam em algum espaço alternativo do mundo dos dois, o intervalo entre uma inspiração e uma expiração, onde caberia toda uma existência, e onde nenhuma daquelas coisas seria necessária, e nem as roupas, e nem os poetas, e nem as palavras.

Haruki leu sobre aquele termo — haikai. Uma forma poética. Das mais breves, dezessete sílabas organizadas em três versos, no padrão cinco-sete-cinco. Leu que Bashō, um dos grandes mestres dessa forma, um dos grandes mestres em meio a séculos de poesia no Japão, nasceu na província de Iga, perto de Ueno, em 1644, e morreu em Osaka, no outono de 1694. Mas não só isso, Bashō era um mestre da prosa também, deixou vários diários de viagem e ensaios críticos.

Escreveu o *Diário de Saga* não muito tempo antes de morrer, quando se hospedou com seu discípulo Kyorai na Cabana dos Caquis Caídos, nos arredores de Kyoto. O ano era 1691.

O trabalho de Haruki era ilustrar o *Diário de Saga*. Leu e releu o diário na tradução que acabava de ser feita por Yukiko. Essa moça que usava uma aliança na mão esquerda, totalmente controversa e totalmente consistente.

Antes, no início dos tempos, Haruki tinha intuído a felicidade, tinha pensado naquilo que devia estar escrito, maktub. Esqueceu-se das outras vidas de Yukiko, que se pautavam por outros maktub.

Por que as suas estrelas teriam privilégio sobre as demais? Eram só corpos celestes sem talvez nenhum poder de fato sobre os corpos terrestres de carne, osso e sexo. Os corpos sem asas dos anjos deste mundo, que escrevem cada um sua própria história de acordo com aquilo em que cabem, e se desviam da vertigem do abismo.

O editor: vamos publicar a tradução de um dos diários de Bashō, o poeta japonês. A tradutora, Yukiko Sakade, sugeriu seu nome para ilustrar. Achamos uma ótima ideia.

Uma aliança possível entre os dois, se aquela que ela usava na mão esquerda não queria e não podia ser removida, burlada, ignorada, apagada, sabotada, deslembrada, derretida.

Maktub.

Só Haruki leu. Só Haruki leu o futuro nas linhas das mãos de Yukiko, e nas linhas de suas coxas, de seus pés, na curva de suas axilas, nos arabescos de suas orelhas e de seu sexo, na quietude página em branco de suas costas.

Mas o ilustrador não procurou retomar contato com a tradutora. Nada de oi-há-quanto--tempo-como-vai-você. As palavras escritas em e-mails e o timbre de suas vozes por telefone talvez representassem um perigo novamente irresistível. Uma recaída.

Recair significa cair de novo. No poço sem fundo da felicidade, no abismo renovável da dor e do não. A vida: atenção ao prazo de validade. A vida: dosagem recomendada, vide bula. Testada dermatologicamente, testada oftalmologicamente em sessões de tortura nos animais de laboratório. Tantas cápsulas por dia, de acordo com o peso e com a idade. Em caso de superdosagem, recorrer à lavagem estomacal. Aconselhável a consulta ao seu médico antes de usar.

22 de junho (à noite)

A primeira bolsa de pano que fiz foi para Alice. Brincávamos de costura juntas. Gostávamos de ir comprar os aviamentos: cores e texturas em linhas, botões, rendas, tecidos, galões, paetês, vidrilhos, qualquer coisa que atraísse nossos olhos e nosso tato.

Brincávamos de costura com um dedal para não espetar o dedo. Quem cuidava da agulha em geral era eu. Mas Alice tinha suas permissões. A primeira bolsa que ficou pronta, seriamente pronta, foi servir de lancheira. Não deu muito certo, as coisas se derramavam lá dentro. Mas aquela bolsa trouxe as outras. Inclusive lancheiras forradas com tecido impermeável.

As melhores amigas de Alice ganhavam bolsas de presente de aniversário, bolsas que levávamos semanas preparando. Era como Alice hierarquizava seus afetos.

As sandálias zori que comprei para ela estão junto à mala. Tudo está limpo e arrumado neste apartamento. Passei a manhã varrendo e lavando. Um pano úmido tirou a poeira de cima dos móveis e dos aparelhos eletrônicos. A comida grudada na panela foi removida. Minha roupa está secando ao sol. Meias, camisetas, calcinhas. Sobre a mesa estão apenas o meu diário e o diário de Bashō.

21º DIA
POR TER DORMIDO TÃO POUCO NA NOITE PASSADA, NÃO ME SINTO BEM HOJE. ATÉ MESMO O CÉU MUDOU: NUBLADO DESDE O RAIAR DO DIA, COM O RUÍDO DA CHUVA DE QUANDO EM QUANDO. DURANTE O DIA TODO EU SÓ FIQUEI PELOS CANTOS COCHILANDO. QUANDO A NOITE SE APROXIMA, KYORAI VOLTA PARA KYOTO. FICO SOZINHO À NOITE, MAS COMO DORMI DURANTE O DIA, NÃO CONSIGO ADORMECER. PROCUREI OS RASCUNHOS QUE TINHA ESCRITO NA MORADIA IRREAL E PASSO-OS A LIMPO.

Naquela noite, tantos anos antes, a lua estava crescente. Perto das montanhas, o céu era amarelado, e logo acima esverdeado, para então entrar num azul profundo. Algumas nuvens ainda se iluminavam pelo sol, bordejadas de rosa e chumbo. Naquela noite, tantos anos antes, naquela noite de outra vida, de outro universo, de outro modo de caminhar.
 Não havia problemas em pisar o chão. Os ossos de Celina eram firmes e sólidos, meticulosamente organizados na estrutura de um esqueleto, dentro de seu corpo. Eram um milagre, seus ossos. E eram um milagre a carne e a pele por cima dos ossos. A pele ainda estava crispada com a memória do tato.

Podia ouvir Marco brincando com Alice na sala. Jogavam xadrez. O pai ensinava alguma abertura que depois serviria de munição à eventual arrogância da filha diante dos adultos.

Podia imaginá-la, Alice, empertigada e séria, magrela, os cabelos compridos que estavam ainda mais compridos semanas antes, mas havia aquele surto aparentemente incurável de piolho na escola e o jeito foi cortar um pouco, outra vez. Aqueles cabelos espevitados, com muitas e muitas ondas, eternamente embaraçados, de que Alice não cuidava em absoluto.

Podia imaginá-la de testa franzida e queixo apoiado nas mãos, deitada no chão da sala, com seu short amarelo e a blusa de malha, um distante cheiro de suor porque tinha passado a tarde andando de bicicleta com a amiga — enquanto Marco e Celina, e o tato na memória da pele de Celina, e a memória da camiseta amarrando suas mãos, e o que Marco faria se aquele fosse o último dia. E o gozo ensurdecedor do último dia, que ele sabia como adiar nela até que mesmo o ar se contorcesse ao seu redor. Só Marco. Só Marco sabia, só ele cometia aquela suprema ousadia de saber quem era Celina, o que era Celina.

Naquela noite, tantos anos antes, as vozes de Alice e de Marco vinham da sala, esporádicas e amigas.

No quarto escuro, Celina via pela janela o céu cada vez mais escuro, lembrava-se de um poema de que falava de azul corvo, essa cor que agora parecia ganhar em veludo o céu do último dia. Apocalipse prescindindo de cavaleiros, de qualquer grandiosidade bíblica.

Um céu de morte selada pelo gozo ensurdecedor da tarde. E a lua pendurada inerte, astro de brilho falso, astro de equívocos. Bonita, a lua, tão bonita.

Haruki

Um dia, no metrô do Rio de Janeiro, uma mulher lhe perguntou, quando Haruki desceu na estação Botafogo: desculpa, mas é que eu fiquei tão curiosa. Isso aí que você lia é japonês ou chinês?
  Ele desceu na estação Shibuya e teve que prender a respiração. Chovia fino no início da noite de Tóquio. Eram hordas de guarda-chuvas ao seu redor. Existia um ruído alarmante, sim, saltos pipocando nas calçadas, apitos dos sinais luminosos, vozes, os imensos outdoors luminosos espalhando música e mais vozes e, de algum lugar, mais vozes chegando, diante de um restaurante, irasshaimase — seja bem-vindo! — diante de uma loja, irasshaimase, televisores e video games, irasshaimase, mas em algum lugar Haruki ouvia o silêncio fundamental. Por mais densamente povoado que fosse aquele espaço, Haruki vislumbrava o abismo entre um átomo e outro, e o oco silencioso entre um e outro sons.

É verdade que o mundo mais inexiste do que existe. O mundo é menos. Ainda que esteja povoado por feitos, fatos, palavras, ruídos, imagens, construções, guarda-chuvas, uma livraria como esta em que entro e vou galgando escadas rolantes para chegar ao último andar — quantos são? Dez, contei direito? — mesmo sem entender o que dizem as capas dos livros e das revistas, estes dez andares de livros, digamos que sejam dez, podem ruir a qualquer momento debaixo dos meus pés, porque há neles muito mais espaço, muito mais silêncio. Muito mais não palavras do que palavras.

Não era atordoamento e não era deslumbramento. Haruki na verdade nem estava em busca da palavra que completaria o sentido daquele início de noite em Tóquio.

Talvez ele buscasse o sentido que conferiria sentido ao fato de estar ali: as mãos de Yukiko.

Ou as mãos de Celina, que tinha ficado em Kyoto?

As mãos, o gesto de segurá-las, compartilhar. Dividir Tóquio com alguém, a antiga cidade de Edo, a Edo de Matsuo Bashō, trezentos — mais de trezentos — anos depois.

Mas as mãos — o que eram? Um suporte genuíno? Traçariam caminhos entre as vozes? Navegariam a salvo entre os imensos espaços invisíveis de Tóquio, os abismos de Tóquio, que quanto mais se verticalizava e provocava a ilusão da densidade mais explodia em infinitudes?

Mas o que eram essas mesmas mãos, as de Yukiko, tão conhecidas e tão distantes, e as de Celina, tão próximas e tão desconhecidas, e o que seriam essas mãos, se atadas às mãos do próprio Haruki, senão um mesmo coágulo de pensamento?

Minhas mãos têm o tamanho de Tóquio. Tóquio cabe nas minhas mãos.

Haruki leu em algum lugar: os cientistas descobriram que as mesmas áreas do cérebro são ativadas quando você vê um objeto e quando você se lembra desse objeto de olhos fechados. Ele fechou os olhos e se lembrou das mãos conhecidas de Yukiko e se lembrou das mãos desconhecidas de Celina.

Yukiko tinha mãos pequenas e dedos magros. Mas eram fortes, suas mãos. Quando ela digitava no teclado do computador, fazia um barulho considerável. Haruki teve a oportunidade de constatar isso algumas vezes.

Celina parecia ter mãos quase nada. Mãos de asas. Haruki nunca tinha tocado suas mãos. Talvez desmanchassem ao toque.

Música latina em algum lugar, passando pelos seus ouvidos. Hombre pequeñito, foi o que ele pensou ter ouvido. Hombre. Pequeñito. Homem pequenino, homem comum. Sou um homem comum, qualquer um, enganando entre a dor e o prazer — fazia tempos que não ouvia essa música, muitos anos antes tinha o LP do Caetano, aliás não o LP, mas a fita cassete que tinha gravado do LP de alguém. Hei de viver e morrer como um homem comum.

Peter Gast. Haruki tomou o elevador que o levava ao restaurante tailandês. Tinha uma nota no bolso. Um endereço. Alguém que devia procurar. Um casal de amigos de seu editor, que morava em Tóquio, estudando.

Haruki estava adiantado. Sentou-se e pediu uma cerveja. Um brinde silencioso ao falecido pai. Saúde, velho, onde quer que você esteja. O que você acharia de Tóquio? Quando foi que esteve aqui pela última vez? Faz quarenta, cinquenta anos? Será que você reconheceria Tóquio?

E por que nunca conversamos sobre essas coisas? E por que eu nunca te dei atenção, velho desgraçadamente ausente agora, quando você vinha querer conversar sobre essas coisas comigo? E por que eu nunca dei a menor bola para as suas (minhas) origens japonesas, e por que nunca achei os meus olhos mais puxados do que o de qualquer brasileiro? Por que foi que eu te ignorei, e a mim também?

Por que foi que um dia eu arranjei uma descendente de japoneses para amante? Você teria aprovado? Uma amante, em primeiro lugar. Uma amante ao estilo de Yukiko, em segundo lugar. Minha pequena Yukiko que nunca foi minha — será que suas mãos na memória do meu cérebro, essas mãos que teclam pesado, são tão reais quanto as mãos que eu efetivamente vi e toquei?

Yukiko e suas mãos. Estivemos juntos poucas vezes. Vezes de menos. Durante um tempo longo demais. Sempre à tarde. Na primeira tarde eu usei minhas mãos para tirar a roupa de Yukiko como se cumprisse um ritual sagrado. Com reverência, foi a palavra que ela usou, depois, para descrever — me descrever.

    Na primeira tarde ela passou a mão pela minha boca. Tocou minha língua com a ponta de um dedo. Com a ponta de dois dedos. Eu fechei a boca em torno da ponta dos dedos de Yukiko. Ela fechou os olhos e deu um gemido, que foi onde tudo começou a ficar irreparável.

    Lentamente, e com as duas mãos, eu procurava o lugar onde nasciam seus cabelos, junto à nuca. Um microcosmo. A pele era invadida pela penugem dos cabelos.

    Delicadeza que eu não podia suportar. O amor que beirava a raiva. Coisas assim deviam morrer antes de vir ao mundo, deviam ficar suspensas em alguma realidade paralela, coisas assim deviam reconhecer, antes de se materializar, que a matéria não é seu campo, não é seu gênero, e que devem se ater ao sonho puro, ao devaneio. À fabulação. Coisas assim deviam deixar este mundo em paz.

    Haruki tirou da mochila a brochura.

    Welcome to Tokyo — Handy guide. Tokyo Metropolitan Government.

    SHIBUYA — HARAJUKU — OMOTESANDO

Na capa da brochura, uma gravura em madeira feita por Utamaro Kitagawa. Ukiyo-e, cortesia do Museu Nacional de Tóquio. Século dezoito. Ukiyo-e, diz a nota: imagens do mundo flutuante.

General Information for Tourists.

A primavera (de março a maio) e o outono (de setembro a novembro) são bastante amenos. Tóquio tem um inverno relativamente brando, enquanto o verão é quente e úmido. Junho e setembro têm mais chuvas do que os outros meses.

A moeda é o iene (¥).

Há um imposto de 5% sobre as vendas. Turistas vindos do exterior podem fazer compras isentas de impostos em certas lojas de departamentos mostrando seus passaportes.

Voltagem: 100V AC.

Frequência: 60 Hz no Japão ocidental e 50 Hz no Japão oriental.

Haruki bebeu mais um gole de cerveja. Logo chegaria o casal de amigos de seu editor.

Na mesa ao lado um menino dobrava uma folha quadrada de papel azul. Haruki ficou acompanhando as dobras. Da folha surgiu um pássaro, um grou, tsuru, as asas bem abertas e a cauda em pé. O pequenino pescoço empertigado.

Walking around Tokyo

Passe diário de metrô: permite viagens ilimitadas em qualquer das linhas de metrô de Tóquio durante um dia inteiro do primeiro ao último trem. Pode ser comprado antecipadamente ou no dia do uso.

Táxi: levante a mão, pare um táxi, entre no carro e diga ao motorista para onde quer ir.

23 de junho

Comprei uns papéis de origami hoje, mais cedo. Nunca tinha me interessado por origami. Comprei um pacotinho com algumas folhas e junto vieram as instruções para fazer um tsuru, o grou. Escolhi uma folha azul e fui unindo cuidadosamente as pontas.

Num certo momento me dei conta de que não interessava tanto o resultado final, o pássaro. Bom mesmo era simplesmente estar unindo as pontas do papel e me empenhando nas dobras. Talvez nunca chegasse ao tsuru, por mais simples que fosse aquela dobradura. Quando eu chegasse ao fim, alguma coisa poderia se perder.

A menos que.

Com uma ideia em mente, completei o pássaro. As asas bem abertas e a cauda em pé. O pequenino pescoço empertigado.

Deixei o apartamento. Na entrada da biblioteca havia alguns vasos com flores, eu já tinha reparado neles. Fui até lá com meu pequeno e estreante tsuru de origami. Pousei o tsuru num dos vasos de flores, eram flores amarelas, o pássaro de papel ficou ainda mais azul sobre elas. O bico estava meio rombudo. Que nenhum japonês me visse fazendo aquilo. A moça ocidental desajeitada e desastrada.

22º DIA

Chuva pela manhã. Nenhuma visita, e em minha solidão eu me divirto escrevendo a esmo, incluindo o seguinte: Aquele que está de luto faz do pesar seu mestre; aquele que bebe faz do prazer seu mestre. Quando Saigyō escreveu "Se não fosse a solidão, a tristeza me destruiria", fez da solidão seu mestre. Em outro poema escreveu:

> No abrigo das montanhas
> a quem está chamando
> o pequeno cuco?
> Vim para cá pensando
> que ia viver só.

> *YAMAZATO NI*
> *KO WA MATA TARE O*
> *YOBUKODORI*
> *HITORI SUMAMU TO*
> *OMOISHI MONO O*

Nada é tão agradável quanto a solidão. O eremita Chōshō escreveu: "Se um hóspede encontra paz pela metade de um dia, o anfitrião a perde pela metade de um dia." Sodô gosta de repetir essas palavras. Eu também, aliás, encontrando-me sozinho num mosteiro, compus estes versos:

cheio de pesar
traz-me a solidão —
cuco das montanhas

*UKI WARE O
SABISHIGARASE YO
KANKODORI*

Ao cair da tarde trazem-me uma mensagem de Kyorai. Ele me avisa que Otokuni voltou de Musashi-no-kuni em Edo, e me chegaram muitas notícias de amigos e discípulos. Entre outras está um bilhete de Kyokusui, dizendo que ao visitar minha Cabana da Bananeira, que abandonei, ali encontrou Sōha.

há muito tempo
quem lavava as caçarolas?
violetas em flor

*MUKASHI TARE
KONABE ARAISHI*

SUMIREGUSA
(Sōha)

Ele também escreve: "Onde moro agora, não há verde algum à exceção de um bordo com o comprimento de dois arcos."

O JOVEM BORDO
TINGE-SE DE BRONZE
INSTANTE DE GLÓRIA

WAKA KAEDE
CHAIRO NI NARU MO
HITO SAKARI
(Sōha)

Na carta de Ransetsu:

EM MEIO AO PÓ DOS BROTOS
SÃO ESCOLHIDAS
AS SAMAMBAIAS

ZENMAI NO
CHIRI NI ERARURU
WARABI KANA

EQUINÓCIO DE PRIMAVERA
NO CORAÇÃO INFANTIL
MELANCOLIA

DEKAWARI YA
OSANAGOKORO NI
MONO AWARE

Nas outras cartas muitos são os relatos emocionantes ou pungentes.

Celina e Marco

As coisas que faziam pensar em Marco.
Duas bolachas de chope: Alchemy Ale, Pints Pub, Denver, Colorado. As anotações rabiscadas no seu imenso calendário do Greenpeace que ficava pendurado na cozinha (números que só ele sabia a que se referiam, iniciais, palavras abreviadas numa espécie de estenografia pessoal). Uma foca azul de pelúcia. Um cartão-postal que alguém mandou da Alemanha.
Uma caixa de fotografias da época da adolescência, quando ele mexia com isso e tinha um laboratório montado no quarto de empregada da casa de seu pai. O violão que ele já não tocava, mas que tinha que estar ao alcance da mão porque nunca se sabe.
A árvore da felicidade.
A gaveta onde ele guardava, em pacífica confusão, os clipes de papel, os cartões de visita recebidos aqui e ali, carnês do INSS, um grampeador quebrado, canhotos de talões de cheque,

maconha dentro de uma latinha, a seda preferida (a Ledinha, *transparent cigarette paper, Brazilian smoke culture. Mini size. 100% cellulose* — natural — transparente. Dispensa cola. Película biodegradável não plástica. Atenção: manter em local fresco e seco. O Ministério da Saúde Adverte: fumar é prejudicial à saúde. Proibido para menores de 18 anos).

As coisas contadas por Marco e de que Celina de vez em quando se lembrava. Uma ex-namorada alpinista que tinha uma camiseta onde se lia: elas querem é trepar. O dia em que ele amarrou a boca do cachorro com um elástico e depois levou uma mordida. O primeiro carro dele, que rodava quatro quilômetros por litro. A noite em que ele viu Saturno pela luneta e Saturno era um ponto branco e brilhante contornado por um anel branco e brilhante. A espada chinesa da época em que ele fazia tai chi. O amasso no ônibus com uma garota desconhecida na viagem até a Argentina, aos dezenove anos (e depois os dois se levantaram e ele percebeu que a garota era muito, mas muito mais alta do que ele).

As coisas que Celina já não sabia mais quem tinha comprado, se ela ou se Marco ou se os dois juntos. O CD do Keith Jarrett, concerto em Colônia. O saca-rolhas azul. A luminária verde da rua do Lavradio. O enorme vaso de vidro transparente em que guardavam a coleção de rolhas. O cortador de unhas. O pôster do Chagall que ficava no banheiro. O porta-incenso. Os potes de cerâmica de Monte Sião.

    As coisas que Celina já não sabia mais quem tinha perdido, se ela ou se Marco ou se os dois juntos. O livro do Edward Lear. Ele dizia que ela havia emprestado para alguém e esquecido. O guarda-chuva laranja. Ela dizia que ele havia deixado no ônibus. O ímã de geladeira que eles ganharam do Museu do Brinquedo de Sintra — alguém trouxe de viagem. O dicionário espanhol-português. O primeiro dente de Alice a cair (incisivo central inferior do lado esquerdo, como Marco aprendeu e decorou, o que não impediu o dente de sumir) e que estava, segundo testemunhos, guardado em determinado envelope, em determinada caixa, em determinada gaveta. O controle remoto da televisão.

Primeiro, Celina e Marco viviam num apartamento no Catete onde mal havia espaço para sua cama de casal. Ficava no último andar, perto da casa de máquinas do elevador. As máquinas estalavam e zumbiam, davam solavancos sonoros. Por sorte, ou por azar moderado, o prédio era pequeno, cinco andares, dez apartamentos, de modo que as manifestações do elevador até que eram esporádicas. Estava fora de cogitação tentar enfiar ali um berço para a filha: alguma coisa teria que sair. A geladeira, o fogão, a mesa. Celina comprou um carrinho e Alice dormia nele, tão pequena, com tanto espaço vazio ao redor que mais parecia uma imperatriz numa cama king-size.

O apartamento do Catete ficava perto da padaria, do supermercado, do posto de saúde onde Alice ia tomar aquelas vacinas que a deixavam com febre por dois dias, do sebo que vendia LPS raros, do Museu da República e da creche onde Celina e Marco matricularam Alice quando ela completou quatro meses, para poderem, basicamente, dormir e trabalhar, nessa ordem.

Nos finais de semana Marco a levava para passear nos jardins do Museu. Quando ela cochilava, no carrinho, ele se sentava perto da carrocinha de picolé para ler o jornal e pedia um chicabom. Mulheres de todas as idades, entre os quinze e os oitenta, olhavam para ele com expressões enternecidas e sorrisos eloquentes: que bonito, um pai cuidando de seu bebê pequeno. Achavam que aquela era uma tarefa essencialmente delas, e que havia um grau relevante de concessão masculina naquele belo quadro homem-e-bebê.

Seu pai. A força com que a mão de Alice se fechava em torno do dedo mindinho de Marco sugeria que em algum lugar da sua secretíssima consciência talvez ela soubesse de tudo. Ou só estava instintivamente sendo um bebê, como tantos outros antes e depois dela. As pernas encolhidas, os braços encolhidos. Os ossos do crânio ainda afastados e o cérebro pulsando de leve nas fendas

— foi um choque para Marco descobrir que era assim, que o ser humano era frágil a esse ponto. O pescoço tão mole que mal dava para acreditar haver uma coluna vertebral passando lá dentro. O umbigo pendurado como um pedaço de macarrão que alguém tivesse esquecido por seis meses dentro da geladeira.

    Como era amar alguém para sempre.

Certa noite, anos mais tarde, Celina e Alice olhavam para o céu. Perto do rio corrente. Bem no alto do céu, Celina mostrava Fomalhaut, a estrela mais brilhante do Peixe Austral.

    Ela está perto daqui. Uma estrela que é na verdade duas.

    Só estou vendo uma.

    Elas estão muito perto uma da outra. Estão separadas por um ano-luz. Isso quer dizer que se você estiver numa das estrelas da Fomalhaut e viajar até a irmã dela —

    Você já me explicou, a não-sei-quantos mil quilômetros por segundo.

    Trezentos. Vai levar um ano.

    E daqui até lá?

    Vinte e três. Ali embaixo, olha para a ponta do meu dedo, ali, está vendo? Parece uma nuvem. É uma galáxia. Está muito mais longe. Você levaria trinta mil anos para chegar lá. Na velocidade da luz.

    Por que é que você sabe essas coisas?

Porque sei.

Alice riu. Que coisa. Ela envolveu com os braços magrelos o braço de Celina. Alice era toda clavículas e tíbias e rótulas de joelhos.

As duas ficaram ali, sozinhas com as irmãs Fomalhaut e mais alguns bilhões de outras estrelas, muitas já mortas, afastadas delas por distâncias mágicas.

Como seria ter o seu objeto de estudo morando a trinta mil anos-luz de distância? Sem cacos de ânforas para te ajudar, ou manuscritos apócrifos, ou esqueletos fossilizados de algum réptil gigantesco? Somente você, o passado e as distâncias?

Uma vez Celina tinha lido uma citação da *Miscelânea ociosa* de Kenko Hoshi: o prazer não provém somente de olharmos para a lua e as flores com nossos próprios olhos. Não fazer mais do que pensar nessas coisas, por um dia de primavera, ainda que fiquemos em casa, ou por uma noite de luar, ainda que não deixemos a alcova, oferece alegria e deleite.

As formas da felicidade. Na beira do rio ouvindo a água que trazia espíritos das montanhas. O céu inteiramente encoberto. Observando com atenção, era possível ver o rio inteiro, orgânico, uma serpente fluida entre as pedras.

Aguçando os ouvidos, era possível ouvir o rio respirar. O rio viajar.

As formas da felicidade. O céu inteiramente encoberto e começou a chover na beira do rio. E os dois, Marco e Celina, presos debaixo de um telhadinho que começava a ficar realmente pequeno porque a chuva engrossava e agora era chuva de vento e os espíritos que o rio trazia das montanhas agora eram de barro.

Belos espíritos de barro mergulhados na água.

As formas da felicidade. Uma rã. Um par de brincos.

As formas da felicidade.

Brilho para os lábios sabor laranja. Na língua.

As formas da felicidade. As cigarras que deixaram o esqueleto velho e oco grudado no tronco da árvore. Café.

As formas da felicidade. Desenhos de crianças presos na parede. Ele disse: ficar neste lugar: neste lugar, o Não Fazer Nada.

Enquanto ele lia (um espirro), acariciava o punho esquerdo, o punho da mão que segurava o livro. O que exatamente quer dizer a palavra "indulgência"?

Os meninos vindo da escola, pela estrada. Os meninos morenos. A pino, o sol de novembro. As formas da felicidade. O rio, o rio corrente, onde ele submergiu, a água gelada que deixou a pele dele gelada também.

O sexo à tarde, como se as tardes fossem feitas para isso. As tardes para o sexo. Como se não se devessem outra coisa. Como se não. O corpo frio fora da água. Os bicos dos seios gelados. O recanto morno entre as pernas.

As formas da felicidade.

Correndo entre as pedras na viagem perpétua do rio. E os espíritos vindo de longe. E o rio.

Certa vez um pouco d'água caiu sobre uma superfície oleosa. Arco-íris se puseram a corcovear feito pequeninas minhocas agitadas. Certa vez a água na chaleira começou a ferver, e as bolhas arrebentaram suas vidas instantâneas e o vapor subiu ao teto em sua morte úmida. Certa vez Alice levou uma bronca e foi posta de castigo e quando Marco entrou no quarto, minutos depois, ela havia adormecido sobre a cama feita, sobre a colcha com a estampa múltipla de um cão amarelo, um cão de olhos abertos, uma menina de olhos fechados. Certa vez Marco ouviu o coração de Alice palpitando ainda dentro da barriga de Celina, amplificado pelos aparelhos médicos. Ele intuiu que o mundo tinha um ritmo básico, essencial, primordial.

Ter rompido os elos, os laços, tudo aquilo que conduzia a ele. Menos a mágoa. Celina chegou aos 49 quilos. Em volta dos olhos dois círculos negros de resistência, resistência feroz ela não sabia exatamente a quê.

Caminhava pela casa. A montanha apontava para o céu o seu dente gigantesco, não um incisivo central inferior, mas um canino, um canino dolorido e extraviado, de pedra preta.

Os pés levavam Celina, seu corpo quebradiço, como se numa longa viagem da sala ao quarto ao banheiro à sala e à porta da varanda que emoldurava o grande canino de pedra.

No primeiro dia sem remédios ela sentia uma espécie de soco permanente por dentro, no estômago, um soco de dentro para fora. O estômago querendo se cuspir no ângulo reto de duas paredes e ficar ali, morto, normalizado. O estômago incompetente para digerir alimentos — mas Celina sabia que o peso secretamente só tinha trocado de lugar, migrado das outras partes do corpo ao estômago. Concentrando-se todo ali, denso e compacto, a ponto de não fazer volume algum.

Não era um peso de ossos, músculos, vísceras, gordura. Era um peso de peso. De essência. A balança podia dizer 49 quilos: a balança não entendia nada de peso. Ali dentro do estômago estavam pelo menos outros tantos, multiplicados por dez, por cem.

Havia a solidão do copo d'água. E os pés insistindo, o corpo insistindo com os pés pela casa.

Disseram-lhe que o tempo ia passar. Garantiram-lhe que sim. Levar os pés pela casa, ou confiar neles, nos próprios pés, talvez isso ajudasse o relógio do primeiro dia sem remédios.

Um silêncio de mortos no campo de batalha. Um tom de sangue seco. Braços decepados.

Olhos vazados. Nessas ocasiões tudo muda. Todas as proporções. Todos os relógios. Todas as palavras.

O primeiro dia sem remédios foi dia de Flamengo e Vasco no Maracanã. Celina ouvia as vozes chegando da rua. Um mistério. Vozes, gritos, tiros. Os tiros pelo menos faziam sentido.

Nessas ocasiões não se sabe como vai amanhecer. De que cor vai ser o céu. Nessas ocasiões não se sabe nem mesmo se vai amanhecer. Um exercício de resistência — isso Celina sabia. Como é que esses exércitos de resistência se organizam, e como sobrevivem, contra todas as possibilidades.

Haruki e Bashō

Naquela madrugada, o lápis rombudo desenhava o tornozelo e o pequeno osso protuberante. Yukiko não se mexia. Estava dormindo. A luz começava a entrar no quarto pelas frestas da janela. O desenhista sabia que não podia dormir. Precisava terminar seu desenho, antes que amanhecesse.

O corpo da mulher adormecida era quase fosforescente. Fogo-fátuo. Uma veia pulsava em seu pescoço e suas costas ondulavam ritmicamente, muito devagar, com a respiração.

Justo você, ele disse, em voz alta. É como se você não estivesse viva, por mais que eu veja a veia pulsar no seu pescoço.

Ele imaginava o ar morno que ela expirava. Imaginava se por trás dos olhos ela sonhava ser uma borboleta.

A mulher adormecida sonhava que um homem desenhava seu tornozelo e o pequeno osso protuberante. No sonho, ela se moveu. Seus olhos e seus braços estavam abertos.

Haruki interrompeu o desenho. O desenhista que já não desenhava fez a ela um convite e uma promessa. Mas não disse nada. Foi só um gesto, só um modo de interromper o desenho e levantar o rosto, e um filamento se estendeu dos olhos dele até os olhos dela. Uma ponte de seda de aranha.

Na memória, a voz do pai dela disse: só conseguimos ver a teia de aranha por causa do reflexo da luz do sol. O diâmetro do fio é pequeno demais para o olho humano. Hito no me ni chiisa sugimasu. Pequeno demais para o olho humano.

Em Tóquio, Haruki caminhava por Fukagawa, onde séculos antes ficava a Cabana da Bananeira, a Bashō-an.

A pequena cabana erguida à margem do rio Sumida. A cidade se chamava Edo, séculos antes. Muito mais tarde mudaria de nome, como os poetas também mudavam, e passaria a ser conhecida como Tóquio. Em Edo vivia o xogum, chefe militar, e dali controlava o Japão, mesmo que Sua Majestade Imperial reinasse em Kyoto, a capital. Entre uma cidade e outra, a estrada de Tokaido levava e trazia comerciantes, companhias de samurais e peregrinos.

Haruki pensa: um mosquito pousado na mão de Matsuo Bashō chupa seu sangue sem que ele perceba. No altar simples, a pequena imagem do Buda, esculpida em madeira, cobre-se de sombras delicadas conforme o dia clareia — as pernas em posição de lótus, o torso magro com um dos ombros nu, a mão direita sobre o joelho e a esquerda no colo, palma voltada para cima, em concha. Os lóbulos compridos das orelhas, os olhos entreabertos. O ligeiro sorriso nos lábios. As pétalas da flor de lótus sobre a qual se senta a reluzir vagamente, antecipando o primeiro gesto do sol dentro da cabana. As cinzas do incenso queimado na véspera caídas diante dele, numa trilha aleatória. A bananeira lá fora a se agitar de leve.

 Dormindo, Bashō mexe a mão, para se livrar do incômodo. O mosquito vai se esconder numa sombra, atrás da imagem do senhor Buda, que sem dúvida há de protegê-lo.

 As viagens de Bashō. Que uma vez escreveu:

VIAJANTE —
ESSE É O MEU NOME
PRIMEIRA CHUVA DE INVERNO

 A viagem sempre é pela viagem em si. É para ter a estrada outra vez debaixo dos pés. O lar de Bashō, como o dos navegantes, como o daqueles homens que passam a vida a conduzir cavalos, é em qualquer parte. É o lugar aonde a viagem decidir levá-lo.

 Muitas pessoas morreram na estrada. Entre elas, os poetas Tu Fu, Li P'o, Saigyō e Sōgi. Como a nuvem se desmanchando no céu. Os meses e os dias não são outra coisa senão peregrinos. Assim disse o chinês Li P'o, séculos antes: o céu e a terra e todo o cosmos estão na esfera da transformação. A luz e a escuridão, o sol e a lua são, do mesmo modo, eternos viajantes. O mundo flutuante não passa de um sonho, e todos os prazeres humanos são efêmeros.

Quando Bashō morreu, a Bashō-an foi preservada como local histórico precioso dentro das propriedades de um samurai, dizia um folheto informativo que Haruki pegou para ler. Mas desapareceu em algum momento no final do século dezenove. Depois da inundação de 1917, descobriu-se ali uma rã de pedra de que, dizia-se, Bashō gostava muito, quando em vida. Pouco depois, o governo de Tóquio designou aquele endereço, Tokiwa 1-3, como o local histórico da Bashō-an.

Um pequeno santuário no jardim. Por cima da amurada, Haruki via o rio, o Sumida, o largo rio Sumida, tão distinto do rio que viu Bashō e foi visto por Bashō, e tão o mesmo.

O rio, suas pedras invisíveis, o rio viajante.

Pequena demais para o olho humano. Yukiko durou um ano na vida de Haruki. Conheciam-se havia tempos. Conheciam-se burocraticamente de alguma editora, e passaram a se conhecer menos burocraticamente com o passar das semanas e dos meses até que um dia Haruki fez o primeiro desenho dela. Nua.

Só veio a conhecê-la nua de fato depois desse desenho. Foi o desenho quem a trouxe para perto, mas vindo para perto Yukiko ao mesmo tempo se afastava, tinha sua vida que a puxava para a superfície como uma boia, e o mergulho, em algum momento, invariavelmente sofria uma reviravolta e se tornava afogamento. Onda que arrebentava e recuava. Mar se esticando e se recolhendo outra vez. Era preciso nadar de volta, recuperar o fôlego.

Era preciso estourar outra vez a tensão da água de baixo para cima, inverter o pulo, desdobrá-lo em fuga. Desencorajar o susto. Reparar o status quo. Basicamente isso.

Yukiko e sua vida. Yukiko — pequena demais para o olho humano, um filamento de teia de aranha que cegou Haruki quando ele viu, por um instante, bater o sol. E ela brilhou. A moça de olhos puxados, como os dele. Nissei. Filha de imigrantes japoneses.

Ao contrário de Haruki, uma profunda conhecedora do Japão. Ao contrário de Haruki, fluente na língua. Tradutora de japonês. Entre outras coisas. Tinha feito faculdade em Tóquio.

Numa única ocasião Haruki e Yukiko viajaram juntos. Por dois dias. Havia uma praia nessa viagem. Havia risos também, instantes espremidos no punho cerrado do segredo. Dois dias que não existiram na história oficial. Outro estofamento, muito distinto dos que trazem os Tratados de Fontainebleau e as Ilhas de Elba da história oficial.

Nessa viagem havia cajus maduros e cachaça. Os dois riram bobamente dos amendoins que caíam no chão. Havia música. Havia aquele E SE pendurado no ar como um móbile, como um sino de vento, chacoalhando o tempo todo, acenando — E SE, E SE, E SE. Metálico e suave como cabia.

No domingo voltaram para o Rio de Janeiro e para suas casas e para suas outras respectivas máscaras. O tráfego na estrada era feio e cinzento, e a cidade estava encapada com uma crosta de poluição.

Yukiko era tão pequena, tão pequena demais para o olho humano. Mas ele precisava tanto desenhá-la, insistentemente, religiosamente.

24 de junho

A viagem sempre é pela viagem em si. É para ter a estrada outra vez debaixo dos pés. Há sempre um E SE em algum lugar —

E SE eu não tivesse vindo para Kyoto com Haruki,

E SE Haruki e eu tivéssemos entrado em vagões diferentes de metrô,

E SE não estivesse chovendo naquela tarde,

E SE eu não tivesse visto o livro nas mãos dele,

E SE eu e ele tivéssemos resolvido que seria sexo desde o começo, ou pelo menos que seria sexo em algum momento antes desse momento em que escrevo, agora,

E SE eu não escrevesse, agora,

E SE Alice não gostasse particularmente de andar de bicicleta,

E SE Marco não tivesse amarrado minhas mãos na cabeceira da cama com a camiseta vermelha que eu usava,

E SE eu tivesse nascido uma hora mais tarde,

E SE Marco ou Alice ou Haruki ou Bashō ou a tradutora de Bashō (chama-se Yukiko Sakade) tivessem nascido uma hora mais tarde.

Haruki me disse que conhece a tradutora deste diário de Bashō. Me disse isso com a voz de viés. Com a voz desencontrada das palavras.

Deve ser a mulher que ele ama.

E SE Yukiko for a mulher que Haruki ama,

E SE Yukiko tivesse vindo ao Japão com Haruki.

Yukiko Sakade — não eu. Não Celina.

E SE a viagem fosse outra viagem.

23º DIA

QUANDO BATO AS MÃOS
O ECO RESPONDE, AO RAIAR DO DIA
LUA DE VERÃO

TE O UTEBA
KODAMA NI AKURU
NATSU NO TSUKI

BROTOS DE BAMBU
QUE NO TEMPO DA INFÂNCIA
ME ENSINARAM A DESENHAR

TAKE NO KO YA
OSANAKI TOKI NO
E NO SUSAMI

DIA APÓS DIA
A CEVADA AMADURECE
COTOVIAS CANTAM

HITOHI HITOHI
MUGI AKARAMITE
NAKU HIBARI

NÃO TENHO TALENTO
E SÓ O QUE DESEJO É DORMIR
PÁSSAROS CANTAM ALTO

NŌ NASHI NO
NEMUTASHI WAREO
GYŌGYOSHI

Celina e Marco

A viagem sempre é pela viagem em si. É para ter a estrada outra vez debaixo dos pés. Haruki copiou a frase e mandou por e-mail para Celina. De um cyber-café em Tóquio para o computador que o centro de pesquisas em Kyoto emprestou.

Celina colocou água para ferver. Fazer um café com muito pó. O café que tinha comprado parecia cevada. Tudo bem. Resolvia usando muito pó.

Sentou-se na varanda, pegou uns papéis para ler e se esqueceu da água que fervia. Quando se lembrou, as bolhas já estavam explodindo em desespero, embaraçando-se umas às outras, completamente atordoadas.

Celina pegou o cabo da chaleira sem antes experimentar a temperatura. Segurou com força e levantou do fogão. Estava muito quente. Quente demais. Num gesto involuntário ela largou a chaleira, que caiu no chão. A água fervendo se espalhou numa pequena onda veloz da qual se soltava o espírito do vapor. Logo se fez uma mancha escura no piso. Com a mão doendo da queimadura, Celina apanhou dois cubos de gelo no freezer, segurando-os, e a dor se misturou ao frio, e o frio fez esquecer a dor.

24 de junho, após a queimadura

A dor. Verdade indesejável num mundo de analgésicos. Nunca, a dor. Jamais senti-la quieta e quente no meio do corpo, jamais deixar que estremeça nas mãos ou sue frio na testa, jamais permitir que a dor doa.

Esse é o grande engodo. Minha dor é minha: marca na pele, feito a vermelhidão da queimadura. Existe como uma visita na sala de estar. A dor, senhorinha sentada no canto do sofá.

Isso, talvez, era o que mais atrapalhava a relação com o mundo: o preconceito generalizado contra a dor. E haja comprimidos de todas as cores e formatos, garrafas de álcool e outras drogas lícitas, drogas ilícitas, entorpecentes de tantas naturezas. Haja poltronas diante da televisão nas noites de domingo, enquanto um espetáculo de insanidades desliza pela tela. Haja disfarces. No fundo, todos eles com o mesmo disfarçado objetivo: que a dor não doa. Que a dor se cale, se encolha, se submeta, se amordace, se domestique.

* * *

Em Kyoto, inteiramente só, Celina sentia doer a mão direita. Observou a pele lisa da queimadura. Sentiu-lhe a superfície com as pontas dos dedos da mão esquerda. Por que não. Soprou o local. O hálito quente atiçou a dor. Por que não. Por que não se submeter ao que dói, ao que é indesejável, feio, risível, ridículo.

Seis anos antes, a dor apareceu na sua vida como um monstro saltando do armário. O jacaré escondido debaixo da cama, que poderia morder sua mão, se a deixasse para fora do lençol.

Veio rebocando perguntas.

Mas por que tudo tinha sido tão confortável até então?

Mas por que o sol, o gozo, o sorriso? O rio correndo, o vento?

Mas por que a plenitude de horas mansas, se dentro da polpa dos dedos essas horas tinham agulhas?

Então se fez a quieta revolução dos passos. A senhorinha sentada no sofá avisou que não ia embora. Pediu um café, um chá, um copo d'água. Celina resolveu servir. E percebeu que bastava isso: tomar cuidado com os passos. Se eles tocassem os lugares certos, todo o resto estaria bem. Transitava pela sala de estar com sua visita a observá-la. Colocava um pé na frente do outro na frente do outro na frente do outro. Servia o café, o chá, o copo d'água.

No computador, o e-mail que Haruki tinha mandado de Tóquio brilhava aceso na tela. A viagem sempre é pela viagem em si. É para ter a estrada outra vez debaixo dos pés.

Com os dedos doloridos da mão direita Celina segurou o mouse. Encaminhou o cursor. Clicou em responder.

Seis anos antes, naquela tarde em que seu telefone celular tocou diferente, Celina caminhava pela avenida Presidente Vargas.

Vinha do DETRAN. Lá dentro, na bolha morna do tédio burocrático, ventiladores imensos e prateados passeavam no ar que mesmo se agitando permanecia parado. Até mesmo o vento era parado ali. Era um lugar sem tempo. As coisas não aconteciam nem desaconteciam. As pessoas em romaria se conformavam, e mesmo as inconformadas eram de um inconformismo conformado.

Mais afoita, a senhora de classe média disse: isto é Brasil. Olharam para ela como se fosse um extraterrestre. O vendedor ambulante trazia chocolates e chicletes. As escadas eram tristes e as paredes eram inexpressivas. O barulho era inexpressivo, por mais intenso que fosse.

Atrás dos recepcionistas havia um cartaz impresso. Desacatar funcionário público no exercício da função ou em razão dela: pena — detenção, de 6 (seis) meses a 2 (dois) anos, ou multa (artigo 331 do Código Penal).

E tudo era de um gigantesco, de um contagiante cansaço.

Mas do lado de fora, em compensação, recuperava-se o mundo de uma vez só. Os camelôs gritavam cores, texturas, formas, quinquilharias. Num deles Celina leu o cartaz manuscrito que dizia aqui o diabo não entra, e se entra sai correndo. Havia incensos à venda e funk como música ambiente. À sua frente caminhava um rapaz negro muito suado, e nas costas de sua camiseta azul lia-se *surfing is life, the rest is details*. Ele balançava uma sacola plástica branca, e Celina ouvia o ruído, o rangido do plástico.

Celina levava papéis na bolsa. Um livro bonito que estava gostando de ler. Encaminhava-se para a estação de metrô. Então seu telefone celular tocou dentro da bolsa, e foi um toque capaz de tirar o planeta do eixo por um segundo.

Era o mesmo toque de sempre. Um toque simples, telefônico. Nada de emulações de sinfonias de Mozart. E, no entanto, não foi o mesmo, nunca mais seria o mesmo, nunca mais o som, os ventiladores do DETRAN, os camelôs da Presidente Vargas, os chocolates e os chicletes, o artigo 331 do Código Penal, o funk, o diabo, o surfing e os details, nunca mais essas coisas poderiam brotar com a mesma espontaneidade da superfície do mundo.

* * *

Haruki, ela digitou. Estive pensando na tradutora do *Diário de Saga.* Fiquei curiosa em saber mais dela. Claro, se você quiser falar.

25 de junho

E-mails. Você escreve qualquer coisa, dá um clique num botão e pronto. Por que eu tinha que falar a Haruki sobre a tradutora de Bashō. O que é que eu tenho a ver com isso. Qual a intimidade que tenho com ele. Como se eu pudesse chegar a dizer que somos amigos. Como se eu pudesse ter certeza de que já construímos isso. Topamos um com o outro no meio de um monte de E SE. Viemos juntos ao Japão, o que é apenas mais um E SE, só mais uma carta do baralho, entre as tantas outras que podíamos ter escolhido ou deixado que se escolhessem por nós.

Passei a tarde na biblioteca do centro de pesquisas. Entrei no meio de um daqueles corredores metálicos móveis, que se fazem e se desfazem ao toque de um botão vermelho, e fiquei passeando os olhos a esmo pelas lombadas.

Encontrei *Makura no sōshi,* da japonesa Sei Shōnagon — *O livro de cabeceira,* numa tradução para o inglês.

Sei Shōnagon e suas listas: coisas que não podem ser comparadas (verão e inverno. Noite e dia. Chuva e sol). Coisas deprimentes (um cão uivando durante o dia). Coisas odiosas. Coisas raras (evitar manchas de tinta no caderno em que copiamos histórias, poemas ou coisas do gênero). Coisas que estão perto embora estejam distantes. Coisas que estão distantes embora estejam perto. Coisas que perdem ao serem pintadas (flores de cerejeira, rosas amarelas). Coisas que ganham ao serem pintadas (um cenário de inverno muito frio; um cenário de verão indizivelmente quente). Diferentes maneiras de falar: o linguajar de um padre. A fala dos homens e a das mulheres. Gente comum sempre tende a acrescentar sílabas extras às suas palavras.

Sei Shōnagon escreveu *O livro de cabeceira* no século onze. Eu o trouxe comigo. Está aqui do lado, aberto, junto às folhas soltas da tradução que Yukiko Sakade fez do *Diário de Saga*.

Vejo perto de mim as sandálias zori que comprei para Alice. A televisão está ligada e os anúncios em japonês são totalmente estranhos e totalmente familiares.

Gosto dessa familiaridade da estranheza, de que de repente me dou conta. Gosto de me sentir assim alheada, alguém que não pertence, que não entende, que não fala. De ocupar um lugar que parece não existir. Como se eu não fosse de carne e osso, mas só uma impressão, mas só um sonho, como se eu fosse feita de flores e papéis e um tsuru de origami e o eco do salto de uma rã dentro de um velho poço ou o eco dos saltos de uma mu-

lher na calçada e as evocações de Sei Shōnagon e de Bashō, séculos depois.
Qual é o lugar que eu ocupo no mundo? Tem nome, esse lugar? Tem dimensões? Altura, largura, profundidade? Será um som, apenas, ou um gesto, ou um cheiro, ou uma possibilidade nunca explorada? O contrário do som. O contrário de um gesto — imobilidade, potencialidade. Desistência?
Não sei por que motivo, mas penso agora em Marco e numa conversa que certa vez tivemos.
Estávamos sentados à mesa. Era de noite e fazia calor. Eu me lembro dos meus próprios cotovelos apoiados na madeira, formando um V invertido cuja quina era a ponta do meu queixo, onde as mãos se encontravam. Restos de comida e bebida espalhados.
Marco olhou dentro dos meus olhos, grudou uma imensidão de tempo e de espaço nas íris, ele me olhou como quem tem um recado importante e difícil para dar. E então me disse: você está tão bonita.
Aquela frase luminosa. No atropelo da felicidade veio aquele estalo, e eu disse: reparei numa coisa.
Que coisa, ele perguntou.
As palavras bonitinha, bonita e linda têm significados totalmente diferentes. Quando você me diz você está tão bonitinha, quando você me chama de linda e quando você me diz você está tão bonita. Essas coisas são totalmente diferentes.

Marco sorriu.

Quando eu digo bonitinha, ele falou, acho que estou querendo dizer assim fisicamente. Sabe? Quando digo linda, é por causa de alguma coisa bacana que você me disse ou fez. Mas quando você fica bonita é porque o lado de dentro e o lado de fora se encontraram.

Não sei por que penso nisso agora. Não sei por que me lembro da música que tocava, quando eu morrer me enterrem na Lapinha, ouvíamos som alto para disfarçar o som alto do vizinho sem atentar muito para o fato de que se o mundo inteiro seguisse essa lógica nosso planeta seria um único grito de horror, dissonante em si mesmo. Terra de tímpanos perfurados.

Desligo a televisão. Ao fazê-lo, não sei o que significava a frase que interrompi ao meio. Não sei qual a expressão seguinte do rosto que interrompi ao meio. Sei apenas que são onze horas da noite aqui e onze horas da manhã no país de onde venho e que a consistência de tudo isso é tão precária que me alivia e me dá permissão para ir dormir.

Um dia Marco e Celina tiveram uma conversa. Estavam sentados à mesa. Era de noite e fazia calor. Celina estava com os cotovelos apoiados na madeira, formando um V invertido cuja quina era a ponta do queixo, onde as mãos se encontravam. Restos de comida e bebida espalhados. Marco olhou dentro dos olhos dela e disse: você está tão bonita.

Aquela frase luminosa.

E trinta segundos se passaram. E três meses, e três anos se passaram. E outros tantos. E os estilhaços dessa frase luminosa ganharam o espaço, decompostos, a fim de se transformar em outra coisa, já que nada, absolutamente nada, se perde, já que tudo engendra tudo mais.

Yukiko e Bashō

26 de junho

Haruki respondeu com reservas ao e-mail que enviei a ele. Escreveu Yukiko é uma conhecida minha de alguns anos. Atualmente não temos nos visto. É filha de japoneses. Também mora no Rio, mas bem longe de mim. Foi ela quem sugeriu à editora que eu ilustrasse o diário de Bashō. Uma vez ela me contou uma coisa que seu pai tinha lhe ensinado: só conseguimos ver a teia de aranha por causa do reflexo da luz do sol. O diâmetro do fio é pequeno demais para o olho humano.

Haruki me disse também que dentro de mais dois ou três dias volta a Kyoto. Ainda não sabe se fará uma viagem ao norte. Provavelmente não. Andou vendo preços. Mas está me parecendo que sairia caro demais, ele disse. Como o transporte é caro aqui neste país!

Penso nessa mulher cujo pai falava de teias de aranha e reflexos da luz do sol. Imagino-a.

Imagino mãos firmes e unhas curtas. Unhas sem esmalte. Mãos firmes que digitam com força no teclado do computador.

Uma pequena cicatriz junto ao punho direito — mordida de cachorro. Quando era criança talvez tenha visto aquele cocker spaniel absolutamente bonachão estacionado diante da padaria, numa coleira vermelha amarrada ao poste, e parado para fazer festa nele. Era um animal velho, as pálpebras dos olhos caídas, os olhos embaçados. E assim Yukiko levou uma mordida do cocker spaniel.

Cabelos grossos e escuros e lisos como os de Haruki, mas os dela compridos, presos no alto da cabeça.

Costas ligeiramente arqueadas enquanto ela digita palavras. Montes de palavras. Multidões de palavras que se acrescentam ao ruído do mundo. Quem sabe ela pensa: por que tantas palavras. Quem sabe ela imagina um silêncio alternativo àquela Babel.

Talvez um dia ela estivesse, as costas ligeiramente arqueadas, digitando palavras que carregassem Haruki consigo. Talvez ele tenha surpreendido os pensamentos dela por trás, com um beijo e um arrepio. Um beijo na nuca, onde brota a penugem de todas as promessas, mesmo as que nunca vão se cumprir. A tessitura da língua no lóbulo da orelha esquerda. As mãos arredondando-se nos ombros e nos seios dela. Nesse momento é possível que Yukiko tenha parado no meio a digitação de uma palavra.

Dese

(Desenho, desejo, desempenho, desembaraço, deserto?)

As duas mãos livres migrariam para trás, onde Haruki, de pé, haveria de senti-las roçando o tecido da calça, primeiro de leve, depois imprimindo a força necessária, somente a força necessária, nada mais do que isso. As costas de Yukiko agora estariam retas.

A umidade brotaria em seu corpo como uma festa.

No punho direito, a pequena cicatriz da mordida do cocker spaniel, o cão que há muito já se tornou um punhado de ossos delicados e uma leve memória, uma memória vagando sozinha pela superfície do mundo, fantasma do impulso, eco daquele jeito que era o seu jeito de existir: mordendo. A pequena cicatriz quase nada no punho direito de Yukiko, onde outros ossos e outros músculos e outros impulsos regem o movimento. O tecido da calça de Haruki, onde o movimento se imprime e projeta cataclismas de felicidade. O corpo sabe ser feliz por conta própria. O corpo prescinde dessas bobagens da alma.

Kyoto continuava não cumprindo as chuvas prometidas. O que tinha acontecido com a estação das chuvas, tsuyu, naquele ano? No centro de estudos, em Kyoto, diziam a Celina que o tempo estava sendo bondoso com os dois brasileiros desavisados que resolveram visitar o Japão na estação mais desagradável do ano.

Mas pelo menos o nome da estação era gentil. Tsuyu: chuva de ameixa, ensinaram para Celina. Porque era a época em que as ameixas amadureciam.

As crianças fabricavam teru-teru bozu, bonecos de papel ou de tecido que serviam para chamar o tempo bom.

O senhor Bananeira, Matsuo Bashō, Celina leu na apresentação que Yukiko Sakade escreveu para sua tradução, nasceu em família de samurais de baixa linhagem. Samurais: os guerreiros do Japão feudal.

Esse Japão que se fechou ao mundo durante 250 anos. O Japão dos Tokugawa, a longa dinastia.

Na estação das chuvas sem chuvas, de ameixas amadurecendo e de crianças prontas para confeccionar bonecos mágicos, Celina leu os nomes dos catorze xoguns, os chefes militares, da família Tokugawa, que mandou no Japão durante tanto tempo.

Ieyasu. Hidetada. Iemitsu. Ietsuna. Tsunayoshi. Ienobu. Ietsugu. Yoshimune. Ieshige. Ieharu. Ienari. Ieyoshi. Iesada. Iemochi. E finalmente Hitotsubashi Keiki, o décimo quinto xogum.

Um estado absoluto. Ieyasu, o primeiro xogum Tokugawa, estabeleceu as regras de conduta da classe militar, os samurais. Como decretado num documento, os samurais deviam trazer lado a lado o estudo da literatura e a prática das artes militares. Deviam denunciar qualquer tipo de trama planejando mudança.

Mudança: sinônimo de revolta.

Os casamentos privados estavam proibidos. As roupas tinham que se adequar à posição social e não podiam ser extravagantes. Todos os samurais tinham que viver de modo frugal.

Ieyasu Tokugawa tomou o poder da antiga família dos Toyotomi. Dizimou os inimigos e expôs suas cabeças decapitadas na estrada entre Fushimi e Kyoto. Eram milhares. Decapitou em público o filho de oito anos de Hideyori Toyotomi com uma concubina.

Ieyasu alcançou glória a ponto de ser deificado após sua morte: Gongen, foi o título que ele recebeu. Um avatar do Buda.

Bashō, o senhor Bananeira, nasceu durante o governo do terceiro xogum, em 1644, na província de Iga, a coisa de cinquenta quilômetros a sudeste de Kyoto. Logo foi servir a um jovem mestre, Tōdō Yoshitada. Entre os dois, existiam laços fortes de amizade. E existiam os laços da poesia. Escreviam poemas, ambos. Escreviam haikai.

Com a maioridade veio seu nome de samurai: Matsuo Munefusa. E em seguida a morte prematura de Yoshitada, o que levou Bashō a abandonar sua casa e adotar uma vida errante. Andarilho. Viajante. Tinha vinte e dois anos. Por conveniência? Por histórias mal resolvidas de amor? Por falta de perspectivas? Por curiosidade? Acredita-se que ele tenha ido para Kyoto, onde teria estudado poesia, caligrafia, filosofia.

Mais tarde, escreveria: em dado momento ambicionei ocupar um posto oficial, com posse de terra. Também escreveria: houve uma época em que me vi fascinado pelo amor homossexual. E nunca ficou muito claro quem foi, em sua vida, certa mulher que mais tarde se tornou a monja Jutei. Pode ter sido mãe de um filho de Bashō. De mais de um filho de Bashō.

26 de junho (à noite)

E SE, então, for essa a mulher que Haruki ama,

E SE o amor de verdade for aquele que abandona sua casa e adota uma vida errante,

E SE esta vinda ao Japão, este trabalho, este livro, este poeta,

E SE tudo isso servir apenas para colocar Haruki contra a parede, no fio da navalha, diante da espada, samurai em sacrifício ritual? Seppuku, o suicídio nobre dos samurais: rasgar o próprio ventre, expondo as vísceras, e depois ser decapitado por um assistente.

24º DIA — NA CABANA DOS CAQUIS CAÍDOS

OS CAMPOS DE VAGENS
E O DEPÓSITO DA LENHA:
AMBOS TÊM HISTÓRIA

MAME UURU
HATA MO KIBEYA MO
MEISHO KANA
(BONCHŌ)

COM O CAIR DA TARDE, KYORAI VEM DE KYOTO.
UMA CARTA DE MASAFURU, DE ZEZE.
E OUTRA DE SHŌKAKU, DE ŌTSU.
BONCHŌ CHEGA.
VISITAMOS O TEMPLO HONPUOKU, EM KATADA, E LÁ PASSAMOS A NOITE. BONCHŌ RETORNA A KYOTO.

27 de junho (antes de amanhecer)

Tomo uma pequena liberdade indevida. Procuro na internet o endereço dos editores de Haruki. Envio um e-mail. Gostaria de entrar em contato com a tradutora Yukiko Sakade, com alguma urgência. Agradeço a atenção.

 O pai de Yukiko lhe ensinou que só conseguimos ver a teia de aranha por causa do reflexo da luz do sol. O diâmetro do fio é pequeno demais para o olho humano.

 Bonecos para chamar o tempo bom: teru--teru bozu.

 Dormi durante uma hora e acordei entre sonhos estranhos. Sonhos não meus. Imaginários alheios. Um abraço em meu corpo, mas meu corpo não sentia, e os braços eram desconhecidos. Então o coração disparou e me levantei.

 O sono faz falta: foi o que aprendi. Foi o que me disseram tantas pessoas que toparam comigo ao longo da vida. Mas por conta própria descobri que faz falta às vezes ficar acordada. Segurar as pálpebras no alto e suspender a respiração. Esse é um momento de docilidade rara. A oferta da presença em mim mesma, sem distrações, sem os móbiles coloridos dos afazeres do dia pendurados diante do nariz.

 Vem um inseto da rua, pela janela aberta, me fazer companhia. Pousa num canto da mesa. Seu corpo colorido e brilhante, bonito. As garras muito pequenas grudadas à mesa, mas tão suavemente que mal parecem tocá-la.

Haruki e Bashō

Sozinho em Tóquio. Haruki e o casal de amigos de seu editor tinham ido juntos a uma peça que reunia uma companhia da Indonésia e outra do Japão. *Mnemosyne*. Dos dois lados Haruki ouvia as frases que acompanhavam os movimentos dos belos corpos sobre o palco, e dos dois lados as frases eram a hipnose do desconhecido. Pela primeira vez em sua vida as palavras não precisavam de palavras, eram música apenas, eram um caldo de cultura sonoro anterior a qualquer Gênesis.

Depois os três foram comer comida chinesa. Haruki embriagou-se levemente com o álcool amarelo, o vinho forte chinês, feito de arroz. Mais tarde se despediram e ele tomou o metrô para a estação de Asakusa, a mais próxima de seu hotel. Tinha encontrado um ryokan, hospedaria tradicional, um pouco fora do centro. Havia um ofurô comunitário com vista para um pagode.

Levava consigo um presente para Celina. Numa das livrarias em que tinha entrado encontrou aquela festa de imagens, haikais e fotografias num volume grosso, mais de trezentas páginas. Abriu, folheou. Sabia que encontraria Bashō em algum momento, relido ou revisitado por um fotógrafo de quase quatrocentos anos depois.

YUKI TO YUKI
KOYOI SHIWASU NO
MEIGETSU KA

Haruki leu a tradução para o inglês e tentou elaborar a sua própria.

NEVE SOBRE NEVE
NESTA NOITE DE NOVEMBRO
A LUA CHEIA

À saída da livraria, repetiu mais ou menos o que tinham lhe ensinado: para presente, por favor. Puresentu — onegaishimasu. Devia faltar alguma coisa unindo aquelas duas palavras. Devia haver alguma forma mais justa de dizê-las, alguma entonação mais adequada. Um gesto com a cabeça, uma inclinação do pescoço que ele desconhecesse. Os traços de seu rosto e as linhas de seu corpo insultavam sua ignorância.

Mas era uma mensagem compreensível. Puresentu. Presente. Onegaishimasu. Por favor.

Entregou o livro à vendedora com as duas mãos: pelo menos esse gesto já tinha aprendido. O respeito aos objetos. Sua forma displicente de lidar com o mundo material, quando se manifestava, era uma afronta recebida em silêncio. Um incômodo invisível. Um fantasma que não deveria estar, mas estava.

Aos poucos, com o passar dos dias e, agora, das semanas, desde que pusera pela primeira vez os pés no país de Bashō, Haruki começou a se ajustar à consciência daquilo que o rodeava. Aprendeu a usar suas duas mãos para dar e receber objetos, cartões, papéis, pacotes de compras, o que fosse.

Puresentu — onegaishimasu, ele disse à vendedora da livraria.

Ela respondeu com um enorme sorriso e múltiplas afirmativas com a cabeça, e mais um punhado de frases que Haruki não entendeu.

Agilmente pegou uma folha de papel de presente e começou a dobrar, vincar, torcer, de um modo que para Haruki era quase hipnótico. Mãos magras, pequeninas e pálidas. Sem as longas unhas coloridas, multicoloridas, e decoradas, que ele tinha visto em tantas mulheres em tantos lugares no Japão, sobretudo nas mais jovens. Unhas curtas. Talvez uma exigência daquele emprego.

Ela parecia estar empenhada numa demonstração de origami. Haruki se perguntava o que sairia dali. Uma estrela. Uma cigarra. Um capacete de samurai. Quando o número de dobras e vincos do papel se mostrou suficiente à moça de mãos magras, ela pegou o livro e o acomodou sobre ele, meio de banda. Então continuou com as dobraduras, rapidamente mas aparentando calma, eficientemente mas aparentando concentração, gentilmente mas aparentado segurança. Um tanto quanto mecanicamente, mas aparentando afeto.

Haruki tinha a impressão de que jamais conseguiria pescá-la num advérbio. A moça que ao mesmo tempo se dava inteira ao papel, que dobrava e que não parecia estar fazendo mais do que sua obrigação. A monja zen embrulhando um livro para presente. O ritual cumprido com eficiência. A eficiência cumprida ritualisticamente.

Ele teve vontade de tocá-la para ver se ela era de verdade. Mas podia levar um choque, se fizesse isso. Um choque elétrico, um choque térmico. Ficou olhando, fascinado, enquanto ela terminava. Aquele ser humano tão outro, tão pouco ele próprio.

Sozinho em Tóquio. Em seu ryokan, a hospedaria tradicional, em Asakusa, tinha colocado sobre a mesa a sacola com o livro que era para Celina.

Já não se lembrava exatamente do haikai de Bashō que havia encontrado ali dentro. Sabia apenas que falava de neve sobre neve.

Neve e neve. Neve mais neve. Neve na neve. Branco sobre branco. Branco se acrescentando ao branco. Uma gentileza plástica. Uma concessão.

Não havia modo de aferir com mais justeza a imagem da neve sobre a neve se não com aquelas palavras. Yuki to yuki. Neve e neve. Dizer menos seria pouco. Dizer outra coisa seria acessório. Como acessório era tudo o que Haruki pudesse pensar sobre aquele poema. Bastava deixá-lo ficar, deixá-lo cair como neve sobre neve no fundo imaginativo de seus olhos. Ouvir seu silêncio algodoado e branco. Neve sobre neve no quarto em estilo japonês do ryokan em Asakusa, Tóquio.

Neve e neve, mesmo já tendo ingressado no verão do hemisfério norte, mesmo já avançando pelo vigésimo sexto dia do mês de junho. Era de madrugada e Haruki não sentia sono.

Tinha lido que o branco era, no Japão, a cor do luto. Entrelaçou os dedos junto à nuca, deitado, e se deixou ficar.

Alice

As coisas que faziam pensar em Alice nunca eram volumosas, grandiosas, nunca tinham lustre de trama principal. Ao contrário, eram pequenas, medidas com displicência de cotidiano.
O dia em que ela enfiou um feijão no nariz. O maiô amarelo que durou dois verões e como ela ficou profundamente triste quando passou a não caber mais nele.
O ar — poema do Vinícius cantado pelo Boca Livre: Quando sou fraco me chamo brisa, e se assovio isso é comum. Quando sou forte me chamo vento. Quando sou cheiro me chamo pum.
O dicionário júnior inglês-português que ela nunca tinha usado mas do qual se orgulhava muito.
As folhas secas que ela costumava levar para casa e colar num caderno depois de devidamente alisadas, não dentro de seu dicionário júnior inglês-português, que era pequeno, mas dentro de um dos colossais dicionários de Marco.

O dia em que ela resolveu se converter ao hinduísmo, aos seis anos de idade, ao cair de paixão por uma imagem de Krishna tocando flauta.

A primeira peça de teatro que a levaram para assistir. Uma peça horrível, no Teatro Princesa Isabel, em Copacabana. Um *Rei Leão* copiado tim-tim por tim-tim do filme norte-americano, com as músicas todas em playback. O modo como ela ficou fascinada pela peça mesmo assim, e teve de pedir autógrafo a todos os atores mal fantasiados de bichos no final.

Sua adoração pelas galinhas, que durante anos a fio reinaram soberanas no posto de animal preferido, desbancando os tradicionais pôneis, coelhinhos, cachorros, gatos, os imponentes leões e panteras, os excêntricos iguanas e hipopótamos. A dificuldade que teve em se lembrar de começar frases com letra maiúscula. Sua insistência diária em só ir para a cama depois das dez da noite. Sua paixão por balas de tamarindo e pela boneca com roupas inspiradas nas de Mary Quant, que tinha sido da tia e passara para ela quando, aos quarenta anos, a tia se viu finalmente capaz de se separar daquele pequeno amuleto Swinging London.

Sua preferência declarada e convicta pelo rock, entre todos os estilos musicais.

Seus cabelos sempre bagunçados. A colônia de alfazema. O xampu de melancia. A pasta de dentes de morango. O brilho labial de uva. Os pés chatos. O nariz de batatinha.

27 de junho

Haruki volta a Kyoto depois de amanhã. Tive uma resposta de seus editores mandando o e-mail de Yukiko Sakade. Escrevi para ela.

25º DIA
  Senna retorna a Ōtsu. Fumikuni e Jōsō vêm nos visitar.

  Tendo como tema a Cabana dos Caquis Caídos:
  Por Jōsō.

  Nos recônditos do Monte Saga, na companhia de pássaros e peixes
  Vivo em morada rústica, feito homem do campo
  Nos galhos ainda não estão os ovos do dragão vermelho
  Mas na folhagem verde está tudo de que preciso para traçar meus versos.

  Visita ao túmulo da Senhora Kogō.
  Por Jōsō.

  Angustiada por um forte ressentimento, ela fugiu do Palácio Imperial

Sob o disco da lua de outono e ao vento que varre os campos.

Naqueles anos distantes, o ministro a encontrou graças ao som de seu koto.

Onde agora estará seu túmulo solitário entre os bambus e as árvores?

Mal germinou
E em duas folhas se abre
Semente de caqui

MEDASHI YORI
FUTABA NI SHIGERU
KAKI NO SANE
　　　(Fumikuni)

Escrito no caminho:

Canta o cuco
E tanto faz: agreira,
Ameixeira, cerejeira

HOTOTOGISU
NAKU YA ENOKI MO
UME SAKURA
　　　(Jōsō)

Dois versos admiráveis de Kō Zankoku:

Chin Muki buscava inspiração atrás das portas fechadas
Shin Shōyu trabalhava com o pincel diante de seus convidados.

Otokuni vem me ver e fala de Musashi-no-kuni em Edo. Também me traz um livro de haikais ligeiros, compostos durante o tempo que leva uma vela para consumir meia polegada. Seleciono o seguinte:

A CAIXINHA DE REMÉDIOS
O MONGE A LEVA
JUNTO AO PEITO

O PASSO DA MONTANHA DE USUI:
É PRUDENTE IR A CAVALO

HANZOKU NO
KŌYAKUIRE WA
FUTOKORO NI

USUI NO TŌGE
UMAZO KASHIKOKI
(Kikaku)

CESTO NA CINTURA,
O ESPÍRITO PERTURBADO PELA LUA

TEMPESTADE OUTONAL
UMA CABANA SE ENTREGA
AO DEGREDADO

· *KOSHI NO AJIKA NI*
KURUWASURU TSUKI

NOWAKI YORI
RUNIN NI WATASU
KOYA HITOTSU
(Kikaku)

No monte Utsu:
adormeço vestindo
camisola de mulher

Combatendo a mentira
permite-se purificar o espírito

UTSU NO YAMA
ONNA NI YO YOGI O
KARITE NERU

ITSUWARI SEMETE
YURUSU SHÔJIN
(Kikaku)

Desde as 16 horas, vento, chuva e trovoadas; o granizo cai. Quando o dragão atravessa o céu, chove grani-

20. Há pedras de quase dois gramas, as maiores são como abricós, as menores como pequenas castanhas.

O silêncio era um lugar dentro do coração. O silêncio encobria talvez o perdão necessário, o armistício, o silêncio era uma permanência. Celina pensava no silêncio quando desceu na mesma estação de metrô Keage que tinha servido para ir ao Caminho do Filósofo. Dentro do vagão a gravação anunciava a parada em japonês e em inglês.
 Ela comprou uma bebida na máquina automática. Uma latinha de Pocari Sweat, bebida energética. Não gostou. Acabou com o conteúdo da latinha mesmo assim.
 A manhã estava abafada e opaca. O silêncio reverberava entre os ouvidos de Celina. Ela atravessou o pequeno túnel diante da estação de metrô e seguiu pela rua estreita, bordada de jardins delicados e semiocultos por trás de muros delicados, a Konchi-in-dori. Mas de algum modo o acolhimento se esquivava. De algum modo suas duas mãos vazias da companhia de outras mãos insistiam em pesar, como partes do corpo fragilizadas, como se convalescentes de uma ruptura.
 E eram isso. Ainda eram convalescentes. Foi o que comunicaram a Celina, enquanto os pés momentaneamente se roubaram a certeza de si. Os pés viajantes, totens, os amuletos que ela cultuava

e de que necessitava para encobrir o oco duro nas palmas das mãos.

Que doam, os ocos. Não tenho a pequenina mão de Alice grudada à minha mão direita, suando um pouco, o anel de plástico que veio de brinde na caixa de cereal, nem a mão angulosa de Marco topando numa carícia com a minha mão esquerda, as pontas dos dedos desenhando sem querer minha linha da vida.

E o silêncio era uma permanência. Pela Konchi-in-dori, ladeando muros baixos e delicados que só ocultavam parcialmente seus segredos. Havia alguma estranheza em tudo aquilo. O sonho se esgarçava? Estava se aproximando a hora de acordar? Vênus já estava visível no céu, a leste, antecedendo o nascer de um sol simbólico?

Celina parou diante de um templo. O Konchi-in, parte do grande templo zen Nanzen-ji. Comprou o ingresso na bilheteria. Caminhou até o lago dedicado à deusa da fortuna, o Benten Ike. Paisagem particularmente bonita no outono, pelo que ela havia lido. Mas estavam no verão. E no entanto.

As plantas aquáticas, os arbustos podados até ficarem perfeitamente arredondados, as árvores cujos galhos se estendiam e se retorciam como se quisessem se integrar ao cenário.

Celina estava sozinha. Naquele dia, naquele momento, não havia mais ninguém diante do Benten Ike.

Lágrimas se formulavam por dentro dos olhos. Vinham de longe. Roçavam as pálpebras. E continuavam ocultas. Celina se sentou num banco e fechou os olhos por algum tempo. O cheiro daquele lugar. Os sons discretos daquele lugar, avaliando o silêncio. O calor do verão, ainda não muito intenso, em seus braços nus, em suas pernas levemente suadas por baixo da saia, em seu rosto. Em seu pescoço.

O calor ainda não muito intenso do verão estacionado em seu corpo.

E se o mundo pudesse subsistir apenas com aquela beleza: o lago e os jardins de um templo zen em Kyoto. E se a velocidade se rompesse, e se os ímpetos se ocultassem, e se as palavras desistissem, e se naquela beleza as coisas pudessem diminuir, diminuir, se encolher, se apequenar, até serem só um núcleo pulsante isento de perigos como esperança, desejo, decisão.

Morrer seria assim? Celina apertou os olhos por um instante, depois relaxou outra vez. Morrer: seria uma espécie de aceitação? Seria compactuar com esse pequeno núcleo de existência e ir fechando as portas, as comportas, até só restar esse quase nada? E então desistir dele também? Abandoná-lo, mergulhar no nada, no fim, no coisa nenhuma, um estalar dos dedos, plec, e o amontoado de ossos, músculos, vísceras, espaços em branco, correntes elétricas, emoções, reações químicas e pensamentos que era você, que fingia se reunir sob um nome fantasia (o que importa se vai ou não entrar para a história?), tudo isso como que evapora? Ao calor de uma manhã de verão em Kyoto — por exemplo?

    Celina abriu os olhos. Continuavam secos. Diante dela estava o lago, o Benten Ike, refletindo a paisagem nos trechos ainda não cobertos pelas plantas aquáticas.

Marco e Yukiko

Houve um dia em que Celina estava lavando a louça e quebrou um copo. Era um daqueles mais compridos e estreitos, com umas reentrâncias na base. Na bancada da cozinha, diante da pia, estavam os óculos escuros novos. Ela havia comprado naquela tarde, numa ótica em Copacabana. A armação era meio oval, marrom-escura, com detalhes em bege. A vendedora tinha dito: está lindo em você e combina com esse seu casaco maravilhoso. Casaco maravilhoso?, Celina tinha tido vontade de perguntar. Você está brincando? Comprei numa liquidação de uma loja vagabunda, não custou nem vinte reais.
 Estavam ali em cima, na bancada em frente à pia. Celina lavava a louça, o outro copo bateu naquele, comprido e estreito, e riscou um V invertido e recurvado, bonito até, na borda. Uma rachadura quase perfeitamente simétrica. Celina não pôde deixar de admirar. Pena só terem dois daquele. Agora ficava um só.

À noite Marco abriu uma garrafa de vinho enquanto Alice via desenho na tevê da sala e serviu uma taça para si, uma taça para Celina. Os dois brindaram em pé enquanto ela arrumava coisas na cozinha.
Para de ficar arrumando as coisas, ele disse.
Ela riu. Hoje de tarde quebrei um copo.
Mostrou a ele as cicatrizes simétricas, a estria dupla no vidro.
Marco disse bobagem, é só um copo.
Comeram em pé na cozinha, torradas esfareladas e biscoitos salgados com uma salsa apimentada que ele fez. Receita de família. Na sala, Alice espiava o desenho na tevê com o rabo do olho enquanto comia macarrão e a salsa apimentada. Alice gostava de pimenta.
Celina foi lavar o resto da louça suja. Do seu lado, Marco lia um rótulo de um produto qualquer. As vozes dos personagens do desenho animado chegavam da sala, e uns ruídos engraçados. Ela pegou as duas taças que estavam ali da véspera. No ano-novo Marco tinha comprado um champanhe que vinha com as duas taças de brinde. Eram bonitas. Fininhas. Delicadas. Ela pensou no copo que tinha quebrado horas antes. Lavou as taças com cuidado, colocou para secar emborcadas e apoiadas no canto da pia.
Um gesto mais descuidado, um escorregão: uma das taças caiu sem que ela sequer pudesse tentar prestar socorro. Nem pôde estender o braço. A

taça riscou seu caminho ao chão e não estava disposta a ser interrompida. Uma exclamação de Celina, e o ruído agudo do vidro fino se espatifando.

Puxa, Marco disse, de novo. E logo essa.

Celina olhava para o chão coberto de cacos.

Me desculpa, eu sei que você gostava.

Mas também por que você foi colocar para secar desse jeito? Torta assim, apoiada no secador de louça? Não era melhor ter esvaziado o secador primeiro?

Era. Mas eu sempre faço assim.

Pensa nisso para não acontecer de novo no futuro. Toma um pouco mais de cuidado.

Celina estava com parte dos cacos da taça na mão. Olhou para Marco. Colocou os cacos no lixo e saiu pelo corredor, sem dizer nada, até o banheiro. Lá, se trancou (raramente se trancava) e abriu o chuveiro.

À noite, na cama, depois da leitura para Alice, e de mandar Alice escovar os dentes e fazer xixi e vestir o pijama, Celina estava deitada olhando para o teto. Ao seu lado, Marco estava deitado olhando para o teto. Mexia no controle remoto da tevê desligada. Ela mexia num frasco de hidratante. Pegou um pouco, passou nas pernas. Ele girava o controle remoto entre os dedos.

Ela olhou para ele. Sérios, os dois. Lá fora o barulho quase nada da chuva que começava a cair.

Está chovendo, ele disse.

Ela deslizou a mão para dentro da mão dele. Ele puxou com a ponta dos dedos uma mecha de cabelo que caía sobre o olho dela. Ela sentiu o desejo subindo pelo estômago até a boca que grudou na dele. Era uma onda. Um tumulto. Sua boca roçando de leve a orelha dele. Os ombros. A parte interna dos braços. Vê-lo estremecer. Senti-lo estremecer e deixar o toque ainda mais sutil para que o estremecimento fosse ainda maior. Tocá-lo com os lábios e com a língua sobre as costelas, contar as costelas com o hálito e com a ponta dos dentes, tocá-lo com a língua na curva da cintura, na barriga, sentir o roçar dos pelos que cresciam em volta do umbigo. Celina abriu as pernas e se sentou nele, e ele estava duro através do tecido do short. Com os dedos ele percorreu a costura da calcinha dela. Com as duas mãos ele segurou suas coxas, e puxou-a para cima, mais para cima, até que aquele ponto mais quente do corpo dela ficasse ali, sobre o seu rosto. Com a mão, afastou a calcinha. Com a língua, arrancou dela um gemido mais alto.

27 de junho

Imagino o motivo de ter esquecido como se chora. Talvez a água das lágrimas atrapalhe o caminho. Talvez deixe os mapas nublados. Hoje cedo, no banho, fiz força. Deixei encher a banheira, derramei um pouco de sabonete líquido que não fez muita espuma, só me deu uma superfície mais ou menos leitosa com bolhas inconsistentes. Tirei a roupa e me olhei no espelho. Tentei. Fixei meus próprios olhos, faz tempos que já não atento mais para a cor que eles têm. Isso algum dia teve importância? Olhei para os seios, os meus seios que despontaram quando eu tinha doze anos. Para os dois braços. Não me lembrei de endireitar os ombros. Voltei a fixar meus olhos.

Entrei na banheira, a água apenas ligeiramente morna, hoje está um pouco mais quente do que ontem eu acho. Meu corpo se disfarçou sob a água e sua nata de sabão. Os joelhos dobrados ficaram de fora. E os pés, apoiados na borda da banheira.

Tentei. Fechei os olhos e tentei. Quem sabe imersa ali, no elemento irmão, eu pudesse voltar a produzi-las, a convencer as glândulas a interromper sua greve, seu retiro, a lutar contra sua disfunção.

Nada. Ou talvez algum sinal, um peso novo subindo pelos ossos do meu rosto, como se eu estivesse quase conseguindo? Um peso tão discreto, tão suave que eu poderia nem ter percebido.

Mas os olhos continuaram secos. Afundei a cabeça na água, o silêncio estranho do elemento que não é nem nunca foi o meu tapou meus ouvidos. Meus cabelos transformados em algas de algum pequeno mar anônimo. O rosto ficou de fora. Seco.

26º DIA

MAL GERMINOU
E EM DUAS FOLHAS SE ABRE
SEMENTE DE CAQUI

MEDASHI YORI
FUTABA NI SHIGERU
KAKI NO SANE
(FUMIKUNI)

FEITO PÓ SOBRE OS CAMPOS
FLORES DE DÊUTZIA SE ESPALHANDO

BATAKE NO CHIRI NI
KAKARU UNOHANA
(BASHŌ)

UM CARACOL
INSEGURO DE SI MESMO
BALANÇA OS CHIFRES

KATATSUMURI
TANOMOSHIGENAKI
TSUNO FURITE
(KYORAI)

ENQUANTO ALGUÉM TIRA ÁGUA DO POÇO
EU ESPERO PELO BALDE

HITO NO KUMU MA O
TSURUBE MATSU NARI
(Jōsō)

LUA NA ALVORADA:
SERÁ QUE O MENSAGEIRO REGULAR
VEM VINDO PELA ESTRADA?

ARIAKE NI
SANDO BIKYAKU NO
YUKU YARAM
(Otokuni)

27º dia
Ninguém aparece. Passo o dia todo no leito.

O computador sobre a mesa de uma Starbucks na Miyuki dori, em Ginza, Haruki tomava um frapuccino de chá verde. Tinha passeado pelo mercado de peixes de Tsukiji, quase que de madrugada ainda. Chegou às cinco e meia da manhã, para ver um dos famosos leilões de atum. Leu em algum folheto informativo da cidade de Tóquio que as transações ali podiam chegar a dezessete milhões de dólares por dia. Havia muitos turistas. Filmando, fotografando. Isso irritava visivelmente os negociantes. Com ou sem irritação, os números impressionavam. Dois mil e quinhentos atuns mortos passando por dia no mercado. Como Haruki também sabia, o Japão andava pescando mais atum do que o permitido. O peixe corria risco de extinção.

Um dia, numa de suas viagens, Bashō passou pelo mercado de peixes de Tsukiji, saindo de sua cabana da bananeira em Fukagawa, em direção ao norte profundo.

Os peixes mortos enchiam Haruki de tristeza. Os olhos opacos e as bocas entreabertas, como vírgulas voltadas para baixo.

Mentalmente Haruki fez peixes mortos em aquarela. As cores eram o vermelho e o branco.

Dali, bem perto da margem do rio Sumida, ele foi visitar o santuário shintoísta Namiyoke Jinja, o santuário da proteção contra as ondas, devotado à divindade Inari, às vezes representada como raposa. Era antigo, o santuário. De séculos atrás. Da época de Bashō. Hoje o Namiyoke Jinja era uma espécie de templo guardião do mercado de peixes e de seus comerciantes.

Passava pouco das sete da manhã quando ele entrou na Starbucks e pediu um frapuccino de chá verde e foi se sentar e colocou o computador, rebocado a tiracolo, em cima da mesa, e releu a mensagem de Yukiko.

A mensagem de Yukiko Sakade, sua tradudora de Bashō que não era nem sua nem de Bashō e que talvez fosse pequena demais para o olho humano ou grande demais para o olho humano, como uma supernova ou um deus.

A mensagem de Yukiko Sakade, dizendo troquei alguns e-mails com a sua assistente Celina. Quer dizer então que você está no Japão. Em Tóquio, segundo ela. Buscando traços do viajante Matsuo Bashō.

A mensagem que Yukiko devia ter digitado com os dedos fortes fazendo barulho demais sobre o teclado. Que surpresa, Haruki, você no Japão.

Que surpresa, Yukiko, você na minha tela de computador numa mesa da Starbucks na Miyuki dori. Que surpresa, meu pequeno fio de teia de aranha.

Você me faz falta.

Quem disse, quem pensou, quem sentiu, quem escreveu aquilo?

Sua assistente me contou que foi com você ajudá-lo com as questões burocráticas e como intérprete.

Ele não pôde deixar de sorrir. Celina, sua intérprete.

Que surpresa, Haruki, você no Japão. Na outra semana eu estava revendo um desenho seu. Um desenho que você fez de mim.

A mensagem de Yukiko Sakade.

Você me faz falta. Você me fez falta antes que eu te conhecesse. Você me faz falta agora.

* * *

Os peixes do mercado de Tsukiji tinham bocas entreabertas, como vírgulas voltadas para baixo. Olhos opacos. Uma tristeza de séculos.

Celina

Na mochila, Celina levava seu diário e o diário de Bashō. Um pouco de dinheiro para as passagens e para a comida. Foi de ônibus até sua estação habitual, Katsura. Dali era preciso pegar o trem até a estação Arashiyama. E caminhar a pé até seu destino final.

Era curioso passar tantos dias sem falar praticamente nada. Sem trocar palavras com o resto do mundo, além de fugazes pedidos em balcões, de cumprimentos desajeitados e breves, de agradecimentos lacônicos. Sua voz parecia um casulo de borboleta dentro da garganta, operando alguma espécie de transformação interna. Sua voz parecia se equilibrar com fragilidade sobre aquela categoria delicada — o mínimo indispensável.

O mínimo indispensável. O latido suave de um coração feito de palavras estranhas, estrangeiras, difíceis de decorar.

E aquele nome, que também estava no campo semântico do coração: Rakushisha. Um nome morno e um tanto rascante.

Rakushisha. Um nome bom de se pronunciar.

Rakushisha. Dava para sentir os grãos das consoantes na língua.

Era de manhã ainda. Quando desceu na estação Arashiyama, Celina parou para comprar um suco de maçã numa máquina automática, por 120 ienes. O silêncio era leve. Não havia quase ninguém por ali. Os poucos passantes pareciam tomar cuidado para não arranhar o mundo.

Havia bicicletas para alugar. Celina pensou no assunto. O aluguel era de setecentos ienes. Cumprimentou o homem que alugava as bicicletas com um aceno da cabeça.

Konnichiwa. Bom dia. Ela fez o gesto com o indicador que simbolizava o número um. A essa altura já sabia haver contagens diferentes para cada categoria de coisas em japonês. Mas que havia uma contagem mais ou menos genérica capaz de evitar grandes vexames. Hitotsu, ela disse: uma, sublinhando o gesto da mão.

Celina tinha dúvidas de que ainda soubesse andar de bicicleta. Aquele mito de se tratar de algo que nunca se esquece não passava disso: um mito. Quase tudo era passível de ser esquecido. Muitas outras coisas insistiam em não ser esquecidas. E assim a memória seguia como subalterna do coração.

Ia para Sagano, o tranquilo distrito de Kyoto onde ficava a Rakushisha, a cabana no diário de Matsuo Bashō. De bicicleta cruzou o Parque Arashiyama vendo os poucos turistas japoneses, idosos sem aparentá-lo, em seus chapéus de pano, em suas roupas simples, e chegou à Ponte da Travessia Lunar, a Togetsu-kyo. Imaginar-se na lua. Perder a gravidade. Os pedais da bicicleta eram tão estranhos sob seus pés. Tão estranhos, um corpo metálico, uma outra velocidade. Mas mesmo assim ela pedalava, e pedalava, e atravessava a lua que era também o rio Ōi e as pedras lavadas pela água.

  Consultou seu mapa ao chegar do outro lado. Seguiu pelo caminho que lhe pareceu mais óbvio. Passou diante do posto de informações aos turistas e não parou. Não queria informações. Por acaso resolveu virar à esquerda logo em seguida. Só por acaso. Havia umas lojinhas simpáticas e a rua era estreita e havia pessoas com um ar confiável virando ali também.

  De repente o caminho se fechou entre bambus. Ela havia lido sobre um caminho entre os bambus por ali. O mapa anunciava em inglês, com ideogramas embaixo: BANBOO PATH. Talvez em inglês banboo se escrevesse com M, e não com N. Ela não tinha certeza.

  A luz do dia se aventurava com cautela por entre os bambus. Lá embaixo, junto ao pé das moitas muito altas, tudo era uma quase penumbra homogênea. A um canto, logo após o pequeno marco em que se lia a inscrição — que a paz prevaleça na terra — em alguns idiomas, dois ou três vendedores de artesanato. Um deles cumprimentou Celina quando ela passou. E depois o mundo era novamente só dela e da pequenez de seu veículo de duas rodas. Os pneus estalando de leve sobre o chão no tapete da sombra uniforme dos bambus.

Como era possível não pensar em Alice.

Como era possível pensar em Alice, conformar-se em reduzi-la a um pensamento.

Celina virou o rosto. À sua esquerda, a entrada de um templo. Era o que parecia. Também saltava em seu caminho. Ela entrou, foi até a bilheteria. A surpresa a havia conduzido até o Tenryū-ji. Ela comprou o ingresso, deixou a bicicleta junto à entrada. Tenryū-ji, dizia o folheto: Templo do Dragão Celestial. Patrimônio cultural da humanidade. Patrimônio cultural da humanidade calmamente assentado ali em sua solidão, um dia atípico — provavelmente nos finais de semana aquilo devia encher. Mas não hoje.

28 de junho

Nos jardins do templo Tenryū um homem fala muito alto ao telefone celular. Adiante, outro homem cheira uma hortênsia, flor extemporânea, é verão e ninguém explica por que não está chovendo ainda. O verão começa com a estação das chuvas, tsuyu. Hortênsias são flores sem cheiro. No interior do templo faz silêncio. A silhueta de um menino sentado no chão, pernas cruzadas, costas ligeiramente arqueadas, recorta-se sobre o retângulo da luz que vem de fora.

Corvos, um lótus florindo sozinho, hortênsias. O japonês falando alto ao celular e o outro cheirando hortênsias.

Alguns estudantes uniformizados. O almoço vegetariano custa três mil ienes e prefiro não almoçar. Não por esse preço. Tenho comigo o diário de Bashō, retiramo-nos a um canto. Esqueço os telefones celulares e o impulso de buscar perfume em flores sem perfume.

28º DIA
EM SONHO, EVOQUEI TOKOKU, E DESPERTO EM LÁGRIMAS.

QUANDO SE REENCONTRAM OS ESPÍRITOS, SONHAMOS. SE O YIN ESTÁ ESGOTADO, SONHAMOS COM O FOGO. SE O YANG ESTÁ EXAURIDO, SONHAMOS COM A ÁGUA. QUANDO UM PÁSSARO TRAZ CABELOS NO BICO, VOCÊ SONHA QUE ESTÁ VOANDO, QUANDO VOCÊ DORME COM A FAIXA NA CINTURA, SONHA COM UMA SERPENTE, DIZ-SE. O *DIÁRIO SUICHIN,* OS EPISÓDIOS DO SONHO DE KAWAIAN KU E O DA TRANSFORMAÇÃO DE SHŌSHŪ EM BORBOLETA, REGISTRADO NA OBRA DE SŌSHI, TUDO ISSO TEM MAIS DE APÓLOGO DO QUE DE MARAVILHOSO.

Os sonhos que eu tenho não são sonhos de sábio nem de grande homem. Ao longo do dia eu me deixo levar no ritmo de meus devaneios e, quando vem a noite, meus sonhos são da mesma natureza. Na verdade, o sonho que eu tive com ele é o que chamam de sonho obsessivo. Pois esse homem, que me devotava uma profunda afeição, tinha me seguido até minha aldeia natal em Iga; à noite ele compartilhava do meu leito e, assumindo sua parte do cansaço de minhas peregrinações, durante cem dias me seguiu como uma sombra. Por vezes alegre, por vezes triste, sua afeição me penetrara até o fundo do coração e, sem dúvida, sonhei com isso por não poder esquecê-lo. Ao despertar, lágrimas inundavam minhas mangas.

Ao despertar, meus olhos estavam secos. Hoje é o aniversário de Alice. Hoje Alice faria aniversário. Mas os aniversários de Alice acabaram quando ela fez sete anos. Ao lembrar de Alice, ao pensar em Alice — mas como reduzi-la a uma lembrança, como reduzi-la a um pensamento? —, o mundo é lusco-fusco.

No apartamento do centro de pesquisas, em Kyoto, tenho um par de sandálias zori para

Alice. Como reduzi-las ao absurdo que são, como não tê-las comprado, como não ter visto os pés de Alice nos pés da menina japonesa que afagava um gato branco, a um canto da loja?

Ao despertar, meus olhos estavam secos.

Hoje é o aniversário de treze anos de Alice, mas as sandálias zori foram para a Alice de sete anos, foram para Alice como ela se cristalizou naquilo que pudemos saber dela. Hoje não é o aniversário de treze anos de Alice.

A bicicleta que aluguei está imobilizada à entrada do templo, junto à bilheteria. A bicicleta de Alice foi dada. Assim como suas roupas, seus brinquedos, seus livros, seus CDs da Coleção Disquinho — que eu também tinha, em vinil, quando criança, décadas antes. *Pedro e o lobo. A festa no céu. O soldadinho de chumbo*, que me deixava tão triste.

Alice aos sete anos usando suas sandálias zori é uma imagem que tento grudar no fundo dos olhos, quem sabe faz-se o caminho inverso e ela se transfere dessa improbabilidade a uma outra improbabilidade, a de me estender seus pés pequeninos e grossos (ela vivia cultivando isso) para que eu calce neles as sandálias japonesas.

Veja, Alice, como ficam bonitas em você.

Mas não dá para andar de bicicleta com elas.

É verdade, não dá. É para outras ocasiões.

São bonitas. Todas as meninas no Japão usam sandálias assim?

Não. Só algumas.

Durante cem dias me seguiu como uma sombra, e depois por mais cem vezes cem dias, até que eu perdesse a conta deles e o mundo começasse a se medir em passos, um após o outro, para não se desintegrar. O planeta se solidificava conforme eu pisava nele. A lava quente ia virando crosta, ia virando terra. Durante cem vezes cem dias me seguiu como uma sombra e eu estendi durante cem vezes cem dias as mãos para trás a fim de alcançá--la. De tocá-la. De estreitar o seu corpo pequenino e ouvir sua voz reclamando você está me abraçando com muita força, mãe.

Ao despertar, meus olhos estavam secos e eu sentia só a urgência de obedecer ao movimento como um cão labrador de capa amarela que segue seu dono.

Não chove em Arashiyama. Bicicletas passam e um campo de arroz enfileira seu verde sob o sol. Poucas pessoas. Procura-se uma placa com três ideogramas: 落柿舎.

Rakushisha. A Cabana dos Caquis Caídos, que hospedou o poeta Matsuo Bashō há mais de trezentos anos.

No caminho, Celina passou pela estação Torokko, de onde parte o Trem Romântico de Sagano. Alguns casais esperavam pela próxima partida. Celina comprou um sorvete de chá verde.

A câmera fotográfica está sem pilhas. Remete à minúscula loja de artesanato ao lado. Ela entra: sumimasen! Ninguém responde. Demora alguns instantes para vir lá de dentro uma senhora de passos curtos e sorriso secreto. Os cabelos num coque. Celina mostra as duas pilhas. Ela apanha uma embalagem com pilhas novas e diz o preço.
De que país você é, pergunta, em inglês.
Brasil.
Ah, Brasil! Carnaval! Futebol!
Ela então puxa um caderno de recordações. Pode me escrever qualquer coisa aqui? Na sua língua, por favor. Ainda não tenho nenhuma mensagem de alguém do Brasil.
O sorriso secreto. Celina pega o caderno e vê mensagens de gente de tantos lugares diferentes. Canadá. Portugal. França. Algumas pessoas colaram seus cartões de visita. Com a mão trêmula, escreve algumas linhas.
Quando termina, a dona da loja de artesanato vai lá dentro e volta com um pequeno rolo de papel. Desenrola-o: é uma caligrafia sua. Um poema de amor. Refaz o pequeno rolo. Oferece-o a Celina com as duas mãos e uma reverência.
A caligrafia numa das mãos, a máquina fotográfica com as pilhas novas na outra, Celina sai da pequena loja de artesanato. À sua frente se estende um campo de arroz. Ela caminha alguns metros e encontra a placa que procurava, com os ideogramas que aprendeu a reconhecer. Rakushisha. Três

ideogramas desenhados com tinta preta numa placa de madeira, pendurada num muro coberto de trepadeiras.

A caligrafia numa das mãos, a máquina fotográfica na outra. A água tolda os olhos de Celina enquanto ela empurra a bicicleta até a Rakushisha, a cabana que pertenceu a Kyorai e onde seu mestre Bashō hospedou-se pela última vez no ano quatro de Genroku, na décima oitava lua das dêutzias.

No horizonte, as montanhas perfiladas. A água nos olhos de Celina, que brota vinda de um lugar recém-descoberto, que brota pela vendedora da loja de artesanato em Sagano e pelo aniversário de Alice e por Celina, que não consegue estreitar sombras nos braços, e por Marco, e pelos mortos no campo de batalha, e por Haruki, que neste momento retorna de Tóquio, e por Yukiko, a mulher que Haruki ama, a mulher que ama Haruki. Escorre pelo seu rosto aquela água salgada de uma estação interna das chuvas, sua íntima tsuyu, que se inaugura agora.

Viajar é pela viagem em si. É para ter o caminho debaixo dos pés. Diante da Rakushisha, o campo de arroz enfileira seu verde sob o céu.

Haruki

A paisagem já parece familiar. O trem de regresso a Kyoto, o trem-bala que partiu de Tóquio. Haruki já é quase um deles, já é quase parte dali. Refazer um trajeto significa anotar-se no mundo. Deixar uma pegada, uma bandeira. Refazer um trajeto escava a cicatriz da passagem. Não é apenas o descompromisso da mão única.

Você me faz falta. Você me fez falta antes que eu te conhecesse. Você me faz falta agora. Isso significa refazer um trajeto. Voltar a você e à falta que você me fez e me faz e há de me fazer sempre. Mesmo que eu esteja ao seu lado. Mesmo que eu sinta a sua mão dentro da minha e o seu corpo fabricando ondas de calor. O suor discreto da sua mão dentro da minha.

Há outro modo? Se é preciso (e é preciso) ter você, há outro modo?

* * *

E SE não houver outro modo?

E SE a passagem que podemos fazer um pela vida do outro for esta? Apenas esta? A passagem do viajante?

E SE eu continuar a desenhar você obsessivamente, como fiz durante um ano, pelos próximos dez ou vinte ou trinta?

E SE os nossos encontros não vierem com o rótulo da família, do cartório, da aliança, da hora do jantar, do jornal à porta pela manhã, das compras de supermercado, dos chinelos ao pé da cama, da tábua do vaso do banheiro, das escovas de dente, da biblioteca e da discoteca, dos recados presos na geladeira, das xícaras de café sobre a pia com um círculo preto ao fundo, da toalha de banho habitual, do lugar habitual à mesa, da marca preferida de xampu, da secretária eletrônica, da regulagem da torradeira e do retrovisor do carro, das contas ao final do mês, dos amigos em comum?

E SE for preciso assumir a fragilidade de nós mesmos na fragilidade daquilo que somos juntos? Viajantes?

E SE eu esmagar com as pontas dos dedos esse seu gesto ridículo de carregar no seu sobrenome o sobrenome do seu marido?

E SE eu remover de todos os dicionários de todas as línguas essas categorias, esses universais absolutos?

* * *

28 de junho — na Rakushisha

Caquis são ovos de dragão vermelho.

    A Cabana dos Caquis Caídos pertenceu ao poeta Kyorai, e ali seu mestre Bashō hospedou-se pela última vez no ano quatro de Genroku, na décima oitava lua das dêutzias.

    No horizonte, as montanhas perfiladas. No jardim, um gorinto, monumento de cinco pedras empilhadas representando a terra, a água, o fogo, o vento e o céu, homenageia todos os poetas de haikai do passado, do presente e do futuro. Mosquitos esvoaçam. O céu se fecha gentilmente.

    Ir deixando que a terra de Bashō chegue pelos cinco sentidos, se aninhe nos pulmões, fique impressa nas digitais, ondule em chá verde sobre a língua, toque nos tímpanos um grande sino de templo zen, mesmo que embaraçado em timbres distintos e profusos de telefones celulares.

    Sobretudo, deixar que a terra de Bashō se estampe nos olhos e na memória dos olhos, ainda que em meio a toda a poluição visual deste Japão trezentos anos depois.

    Ver o salto da rã no velho poço, ouvir o ruído quase nada da água, e depois acompanhar os círculos concêntricos a se propagarem e a desaparecerem.

29º DIA
Leio o poema em chinês sobre Takadachi em Ōshū, na coletânea *Hitoriishū*.

Último dia do mês
O Takadachi se ergue tão alto
como o céu e as estrelas
o rio Koromo se lança ao mar
a lua parece um arco

Tal descrição de paisagem não corresponde à realidade.
A menos que realmente se vá ao lugar, mesmo os antigos não conseguem criar poemas autênticos.

No trem de regresso a Kyoto, passa veloz a paisagem diante dos olhos de Haruki. Mas é só uma impressão. O tempo parou por tempo indeterminado.

Na Cabana dos Caquis Caídos, Celina caminha por entre os pequenos monumentos de pedra do jardim. Enquanto ela caminha, o tempo parou por tempo indeterminado.

O mestre de Kyorai, Bashō, visitou a Rakushisha três vezes: em 1689, 1691 e 1694. Quando visitou-a pela segunda vez, ficou do dia 18 de abril ao dia 5 de maio. O diário que escreveu nessa ocasião se chama *Saga Nikki* e foi publicado no terceiro ano de Hōreki (1753). Sua última visita à Rakushisha foi cerca de quatro meses antes de sua morte.

Um dia Celina se encaminhava para a estação de metrô, ao sair do DETRAN da Presidente Vargas. Então seu telefone celular tocou, dentro da bolsa, e foi um toque capaz de tirar o planeta do eixo por um segundo.

Era o mesmo toque de sempre. Um toque simples, telefônico. Nada de emulações de sinfonias de Mozart. E no entanto não foi o mesmo, nunca mais seria o mesmo.

Era uma ironia, alguma piada daquele falso deus do Apocalipse, ela estar saindo do Departamento Nacional de Trânsito? O carro: perda total. Marco: duas costelas quebradas e uma fratura exposta no pé. E Alice. Alice uma fratura exposta dentro do coração, da memória, dentro do abraço que não se fechava mais nem mesmo em sombras, nem mesmo em fantasmas.

Ali ela desfez os elos, os laços, tudo aquilo que conduzia a ele. Menos a mágoa. Pois se ele era o culpado, que estava ao volante, que se distraiu ou cochilou ou fez uma manobra malfeita — não importava. Todos os caminhos se fecharam. Cresceu mato. O asfalto, em desuso, rachou.

Mas o toque do celular, um toque simples, telefônico (nada de emulações de sinfonias de Mozart) reverberou para sempre.

Continua reverberando aqui, entre os monumentos de pedra no jardim da Rakushisha. Isso é um fato.

O que você faria, Celina tinha perguntado a Marco anos antes, na noite anterior ao acidente, se fosse seu último dia comigo?

Ele levantou os olhos para ela e sorriu. Mas que ideia.

É que eu estou lendo isso aqui neste livro — ela explicou. Um último dia, e os dois sabem, porque ela vai embora, e não há nada que ele possa fazer a respeito.

Pode ir junto.

Não, neste caso não pode.

Você anda pensando em ir embora?

Ela sorriu, fez um gesto displicente com a cabeça e abaixou os olhos de novo para o livro.

Encaminha-se à janelinha da bilheteria, onde se vendem uns poucos artigos. Olha para os objetos, um a um. Escolhe uma pequena caligrafia que reproduz o último poema escrito por Bashō na Rakushisha.

Porque ela vai embora, e não há nada que ele possa fazer a respeito.

No envelope que o vendedor na bilheteria da Rakushisha lhe dá, escreve o nome de Marco. Pega uma folha do caderno que lhe serve de diário e escreve: me desculpa. Embrulha com a folha de delicado papel japonês o último poema escrito por Bashō na Rakushisha.

Haruki vê a chuva fina que começa a cair enquanto seu trem se aproxima da estação de Kyoto.

Celina sente a chuva fina que começa a cair enquanto folheia seu diário, enquanto guarda-o com cuidado, e o envelope com a caligrafia, dentro da mochila. Enquanto sai da Rakushisha e pega sua bicicleta e olha para o campo de arroz e as montanhas perfiladas no horizonte.

Essa é a verdade da viagem. Eu não sabia.

A viagem nos ensina algumas coisas. Que a vida é o caminho e não o ponto fixo no espaço. Que nós somos feito a passagem dos dias e dos meses e dos anos, como escreveu o poeta japonês Matsuo Bashō num diário de viagem, e aquilo que possuímos de fato, nosso único bem, é a capacidade de locomoção. É o talento para viajar.

Bashō

1º DIA (DA 5ª LUA)
RIYŪ, DO TEMPLO MEISHŌEM HIRATA, NA PROVÍNCIA DE ŌSHŪ, VEM ME VISITAR. CARTAS DE SHŌHAKU E DE SENNA.

BROTOS DE BAMBU —
OS QUE FORAM DEIXADOS ESTÃO
COBERTOS DE ORVALHO

TAKE NO KO YA
KUINOKOSARESHI
ATO NO TSUYU
(RIYŪ)

NESTES DIAS
AS ROUPAS GRUDAM NO CORPO:
ESTAMOS EM MAIO

KONO GORO NO
HADAGI MI NI TSUKU

UZUKI KANA
    (Shōhaku)

E na despedida:

Muito aguardados
chegam o mês de maio
e o bolo de arroz do noivo

MATARETSURU
SATSUKI MO CHIKASHI
MUKOCHIMAKI
    (Shōhaku)

2º dia
Sora vem me encontrar; ele foi ver as flores em Yoshino, e fazer uma peregrinação a Kumano, é o que me diz. Conversamos sobre velhos amigos e meus discípulos de Musashi-no-kuni em Edo.

Trilha de Kumano
abrindo a mata
mar de verão

KUMANOJI YA
WAKETSUTSUIREBA
NATSU NO UMI
    (Sora)

Monte Ōmine —
no interior de Yoshino
as últimas flores

ŌMINE YA
YOSHINO NO OKU O
HANA NO HATE
(Sora)

Quando o sol se põe, partindo do rio Ōi subimos o rio Tonase, remando ao longo do Monte Arashi. A chuva começa a cair e voltamos com o início da noite.

3º dia
A chuva de ontem à noite continua a cair, durante o dia inteiro e durante a noite inteira sem parar. Continuamos a conversa sobre as coisas e as pessoas de Edo, até a noite clarear.

4º dia
Esgotado por uma noite insone, fico deitado o dia inteiro. Depois do meio-dia a chuva passa.
Lamentando ter que deixar amanhã a Cabana dos Caquis Caídos, visito-a, cômodo por cômodo.

Chuvas de verão
papéis arrancados
marcas nas paredes

SAMIDARE YA
SHIKISHI HEGITARU
KABE NO ATO

落柿舎

Nota

Para a tradução do *Diário de Saga* usei a edição japonesa *Bashō Bunshū — Nihon Koten Zensho*, Tóquio, Asahi Shinbunshakan, 1955, e as traduções de René Sieffert (em *Journaux de voyage*, Presses Orientalistes de France, 2000) e David Landis Barnhill (em *Basho's Journey*, State University of New York Press, 2005). A compreensão do original em japonês não teria sido possível sem a ajuda de Sonia Ninomiya.

Agradeço às pessoas que passaram por aqui com sua leitura, e às que ajudaram a viabilizar minha viagem à terra de Bashō. Principalmente a Gustavo Bernardo, Denilson Lopes, Italo Moriconi, Raquel Abi-Sâmara, Wilberth Claython Salgueiro, Arnaldo e Gilda Fábregas, Flávio Carneiro, José Luis Jobim, Ondjaki, Paulo Franchetti, Paulo Rocco e Satomi Kitahara. A Denize Barros, por suas memórias. Ao Cônsul Kiyoshi Ishii, no Rio de Janeiro. Na Fundação Japão, a Ayumi Hashimoto (Tóquio), Munao Hirota e Chie Yamamoto (Kyoto). No Nichibunken, em Kyoto, a Shoichi

Inoue, Yukiko Okuno e Ayako Sasaki. Por fim, a Paulo Gurevitz, *aisuru hito*, com um Leminski a mais — de dentro de um diamante.

Este livro foi impresso
pela Lisgráfica para a
Editora Objetiva em
maio de 2014.